《不明白——為什麼中國走到了這裡》

不明白播客

兩週年紀念精選輯

當下中國最有趣的談話都是在私下進行的。

「不明白播客」希望把有趣的對話分享給世界各地的中文聽眾，

在這個黑暗、混亂的時代發出一點光亮和溫度。

【自序】讓自己變得勇敢

2022 年 5 月 27 日，「不明白播客」播出第一集的時候，我並沒有想過它可以做得多大，或者可以走多遠。我只是和很多中國人一樣，在上海封城的那段日子裡陷入了政治抑鬱，每天邊刷手機邊流淚。我想要做點什麼，能夠和中文世界的人直接溝通，也藉此擺脫深深的無力感。

幸運的是，我遇到了合適的小夥伴，願意幫助我解決報導之外的技術問題。於是我這個寫了一輩子文字的記者戰戰兢兢地坐在了麥克風後面開始提問題，每週一次把自己的採訪筆記攤開給聽眾們。

我沒有想到「不明白播客」很快贏得了很多聽眾。其實，也不應該太意外。中國的公共空間被打壓得七零八落，愈來愈難聽到不同的聲音。兩年來「不明白播客」一直堅持做的就是提供一個話筒，讓中國人聽到彼此真實的聲音、真誠的思考和尖銳的分析。也就是說我們只是做了一個專業媒體應該做的事情，就收獲了這麼多支持和回饋。有時候想到這個感激之餘是有點心酸的。

我也沒有想到播客一做就是兩年。說實話，在《紐約時報》記者的全職工作以外保證每週更新一次播客，還要拿出比較像樣的內容，壓力還是挺大的。我要感謝中文世界很多最優秀的學者、記者和作者都願意來播客作客，好幾位還來了不止一次。沒有他們的支持播客不會這麼快得到認可。我還要感謝很多勇敢的中國人，在新聞事件發生的時候，願意冒險接受採訪，從白紙運動的抗議者，到找不到工作的年輕人、在經濟蕭條中掙扎的農民工和企業家，以及在絕望中選擇離開的專業人士。

我也要感謝參與「不明白播客」製作的工作人員和志願者們，這個播客是團隊合作的成果，沒有你們就不可能有近一百期的高品質內容。

去年九月，張潔平問我在播客兩週年的時候飛地出一本「不明白播客」精選集怎麼樣，我當時回答說「好啊！」然後就忘得一乾二淨。現在我趕在書出版的最後截稿時間寫這篇序言，還是有一種好得不真實的感覺。謝謝潔平和她的團隊。

最後讓我藉上海封城時流傳的一首詩的節選來和大家共勉：

試著勇敢一點
把「zy」寫成「自由」
把「zf」寫成「政府」
把「gj」寫成「國家」
把「zs」寫成「自殺」
把「🐑」寫成「陽性」
把「⛓」寫成「鐵鏈」

縮寫和符號
不是我的母語

……

試著勇敢一點
讓自己變得勇敢
而不是盼著一個勇敢的人出現

袁　莉

2024 年 5 月 20 日於紐約

【編輯序】

編輯完這本書的時候，剛好是「不明白播客」開播兩週年。

對於我這個忠實聽眾來說，「不明白」是每週最重要的精神食糧——它不僅讓我保持了對當下中國重要議題的覺知，更以一種動態和持續的過程，解答著許多人關於當下的疑問：中國為什麼變成了這樣？作為一個普通人，我們又能做什麼？

過去兩年，「不明白」發佈了近百期節目，涉及的主題十分廣泛，受訪者的身份也非常多元。作為聽眾，如此豐富的內容令我著迷。但作為編輯，我深深明白，書籍和播客是很不同的——文字要比聲音更加凝練，信息密度更高，也要更講究邏輯。

在編輯這本書的時候，我逐一分析了每期節目的主題、關鍵詞、與新聞熱點的關聯性、以及受訪者的身份，希望在這本書中保持「不明白播客」的多元性——既有宏觀的政治經濟分析，也有具體的人物故事；既看得見不同類型抗爭者的心路歷程，也感受到小微企業主、失業青年和農民工的冷暖人

生。

這是「不明白播客」的第一本書，我想它必定要與播客誕生的 2022 年有關。這一年，中國人經歷了太多苦難：從年初的西安封城、豐縣鐵鏈女事件，到上海封城、貴州隔離轉運大巴側翻、烏魯木齊大火，再到突然解封後的新冠感染潮……這些構成了我們創傷的集體記憶。但同時，我們也見證了無數勇敢的人：從孤身前往豐縣探訪鐵鏈女的烏衣，到上海封城時的《四月之聲》，再到四通橋勇士彭載舟和走上街頭的白紙抗議者，還有那兩句——「最後一代」和「不做俍鬼」……這些也讓我們一度看到了某種共同體產生的可能。

這些苦難和希望，莫不是與三個問題密切相關：中國的政治和經濟結構是什麼樣的？它對人們的生活產生了何種影響？面對當下時局，我們可以做些什麼？

帶著這三個問題，我從近百期節目中篩選了 17 期節目，歸入了三個章節「極權回歸：他改變了中國」、「逆向改革：重返蘇維埃的中國經濟」和「暗夜星火：歷史退潮時的啟明」。

第一章「極權回歸」聚焦習近平時代。前中共中央黨校教授蔡霞深入分析了習近平是何以順利集中權力的；政治學者裴敏欣分析了中共堅持「清零」政策背後的政治邏輯，並結合新書《哨兵國家》，揭示了中國的國家監控體系是如何運作的；曾在中共中央體制內工作的政治學者吳國光，解析了「二十大」後的政治格局，並探討了普通人能如何對抗極權；資深新聞人江雪和張潔平，則結合她們的多年從業經驗，向我們展示了習近平時代意識形態領域，尤其是新聞領域發生的劇變。

第二章「逆向改革」聚焦中國經濟。著名經濟學家許成鋼，深入分析了土地財政和中國經濟高速成長之謎，目前面臨的通貨緊縮困境和經濟危機，以及由此引發的全面危機的風險，並指出如果這一制度不發生根本性變革，中國經濟最終會走回蘇聯的老路。宏觀分析之外，本章也會講述經濟蕭條下普通人的命運——在中國經濟泥潭中遭遇重創的小企業主、找不到工作的年輕人和掙扎在生存邊緣的農民工。我相信讀完他們的故事，一定會對作家方方所說的：「時代的一粒灰，落在個人頭上，就是一座山」感同身受。

第三章「暗夜星火」則講述了抗爭者們的故事，其中包括：匿名寫作 12 年、後被判「煽動顛覆國家政權罪」的傳奇博

主「編程隨想」，白紙運動的參與者，和目前在社交媒體 X（前身為 Twitter）上最大的中文抗爭資訊集散分發帳戶「李老師不是你老師」。我很喜歡李老師在訪談最後所說的：「因為中國會變成什麼樣子，其實是每一個還在中國生活的人需要去問自己的：你希望未來中國成為一個什麼樣的國家？答案在他們手裡，未來也在他們手裡。」我想，這也是「不明白播客」和這本書想要傳達的訊息。

由於篇幅所限，這本書沒有編入許多重要的主題，包括女權主義、中美關係、台海局勢、民族主義、「潤學」等等，但我深信，它們未來將繼續是「不明白播客」所關注的主題，也會出現在未來的《不明白》系列書籍中。

第一章｜極權回歸：他改變了中國

專訪蔡霞：
一人意志如何做到控制全黨？

蔡霞，1952 年生於江蘇常州，1992 年進入中共中央黨校學習，獲得碩士、博士學位後留校任教直至退休。她的主要研究領域是中共黨建，曾致力於推動中國共產黨改革，希望中國能夠從黨內民主開始，經過長期努力，最終走向憲政民主。但近年來，她發覺中共正在朝著相反的方向走，多次發出批評聲音，從私下質疑到公開異議，被官方訓誡、審查。2020 年她因為公開批評習近平被開除黨籍，居留美國至今。

在 2012 年 11 月習近平就任最高領導人之前，中共的高層政治格局普遍被認為是「九龍治水」——九個政治局常委各管一攤，有「政令不出中南海」之說。但短短五年內，習近平通過鐵腕反腐、強力軍改、小組治國，獲得了前兩任中國領導人難以企及的權力。在 2017 年 10 月的中共「十九大」後，政治權力已然「定於一尊」。在這一集中權力的過程中，他幾乎沒有遇到任何有實質影響力的抵抗。

蔡霞嘗試回答這個問題：習近平為什麼可以這麼順利地集中權力？這和中共體制、他的個人政治手腕都有什麼樣的關係？將來是否還有因素可以制約習近平的權力？

節目播出時間：2023 年 12 月 3 日

訪談要點：

◆ 習近平集權的體制基礎：民主集中制

◆ 為什麼在改革開放後只有習近平取得如此高度的集權？

◆ 習近平取得集權的具體手段有哪些？

◆ 權力分散和權力碎片化的區別

◆ 習近平如何壓制黨內在反腐中出現的異議？

◆ 將來是否還有因素可以制約習近平的權力？

◆ 中國是否會武力犯台？

袁　莉：今天想請蔡老師來跟我們講一下，習近平為什麼可以這麼順利地集中權力？這和中共的體制、和他的個人政治手腕都有什麼關係？第一個問題，我想問一下蔡老師，習近平集權的合法性和正當性來自哪裡呢？

蔡　霞：習近平集權的合法性和正當性要先從中共這個政黨本身講起。共產黨的傳統和本質就是會導向個人獨裁，因為在黨內是領袖的權威高於所有其他人的。

當初馬克思、恩格斯建立所謂的工人階級政黨的時候，它講的是民主制；但到了列寧的時候，就提出了民主集中制。馬克思、恩格斯是希望將民主性的「政黨」和密謀的「集團」區分開來的，所以列寧黨和馬克思、恩格斯講的政黨不是一回事。

當時列寧是想要奪取政權、建立國家。在這樣的情況下，一定要有一個高度集中統一政黨，才能發動暴力革命，所以他就強調集中制。但當時俄國社會民主工黨內有兩個派，一個是孟什維克（俄語中意為「少數派」），一個是布爾什維克（俄語中意為「多數派」）。孟什維克堅持第二國際以後講的，一定要搞民主制，但列寧卻強調集中制。最後就把它糅合起來，就變成了「民主集中制」，這就是「民主集中制」

的由來。

列寧主義政黨雖然講的是「民主集中」，但骨子裡邊的東西是集中。它的「集中」體現在兩個層面上：

第一個層面是在黨內，它強調大家可以發表意見，但最後以領導人的意見為主導。領導人開明，就多聽點；領導人不開明，他的意見就是最後的決定。所以集中制強調的是要高度一致、要聽話──那就是聽領導人的話。因此在黨內的這種「民主集中制」，就一定會導向領袖個人獨裁。

第二個層面，因為它是奪取國家政權的黨，所以要把「民主集中制」延伸到國家體制當中。所以列寧就強調：社會主義國家必須是共產黨領導，不能和其他政黨分享權力。當時有些政黨批評列寧這是一黨專政，他就把話接過來，說我就是一黨專政，民主是和人民講的，對所有反對力量，講的就是專政，這就等於把一黨專政合法化了。

強調黨的領導，那一定就是黨高於國家；而一黨專政，就會用國家權力來鎮壓所有社會上的反對力量。當一個領導人既是黨內的最高領導，又握有國家權力的時候，他就可以把國家權力不僅用於鎮壓社會上的反對力量，也可以將它用於禁

止和打壓黨內的反對意見。習近平為什麼那麼容易就做到權力高度集中呢？這裡面很大一塊就是他動用國家權力對每個黨員、幹部，包括他們家屬的一種整肅。

從骨子裡來講，只要是共產黨、列寧主義的政黨，它最後導向的結果就是領袖個人獨裁。所以當習近平要搞集權的時候，大家都沒有話說，因為共產黨本身就有這個傳統。

袁　莉：改革開放四十多年來，為什麼只有習近平可以順利集權，而後來的鄧小平、江澤民、胡錦濤等人沒能夠做到呢？這和習近平個人的政治手腕有沒有關係？

蔡　霞：當然有關係。

毛澤東的執政，也就是說所謂的建立新中國以後，你就可以看到他是用個人崇拜，建立了一個事實上由個人獨裁的專政權。

文化大革命給全黨一個特別的教訓，就是如果沒有制度對於個人權力進行制約，用鄧小平的話說就是，毛澤東那樣偉大的領袖也要犯錯誤。

22

所以鄧小平自己在後來復出後，比較注意的就是防止個人集權，他強調建立制度，不會再搞獨裁專政，這是從吸取教訓的角度講。

但在當時，中國共產黨黨內也存在「雙峰政治」——陳雲和鄧小平，他倆的位置和資歷相當，但意見常常是不一樣的。大家都知道陳雲是偏向於計劃經濟，而鄧小平偏向於向美國學習，搞自由市場的，所以他倆也存在一個制約。

還有當時中共內也有一個叫中顧委（中央顧問委員會）的組織，「八大元老」[01] 都在裡面，這就有點類似於清朝的「八王議政」吧，所以鄧小平在客觀上也無法做到個人獨裁。

胡耀邦和趙紫陽就不用說了，他們本身就是趨向於民主的。

那麼到了江澤民，為什麼他做不成？因為鄧小平活著。1989年以後，江澤民有三年的時間在反對和平演變、反對顏色革命，又想把鄧小平的市場經濟改革推翻，鄧小平當時就非常的氣憤。

01　「八大元老」指鄧小平、陳雲、彭真、楊尚昆、李先念、鄧穎超、薄一波、宋任窮。

1992 年鄧小平在深圳南巡的時候，他有幾句話在《鄧小平文集》當中並沒有出現，但是實際上內部是知道的，其中一句是「不換腦筋就換人」。就是說如果你江澤民不改過來的話，那我就請你下台。還有一句是說「誰不改革誰下台」，這個話就是直接警告江澤民的。

然後到了胡錦濤呢，是因為有江澤民制約著，而胡錦濤本身又是個弱勢領袖，就更難實現獨裁了。這就是我們講的客觀因素。

另外一點非常重要的是，無論是鄧小平也好，江澤民也好，還是胡錦濤也好，那段時間的總趨勢是中國共產黨在走向現代文明的，雖然它走得非常難、非常慢，但是是在往市場經濟、往融入世界、融入現代文明的這個方向在走，雖然有時觸到底線，它會退一些，但是大方向沒有變。

到了習近平就不一樣了。大家看到，習近平一上台以後，他有一個非常明顯的轉向。 但在他進行轉向的時候，他的論述是：胡錦濤時期的「九龍治水」[02]、政令不出中南海，所以既得利益、貪腐勢力做大了，正是這種權力分散導致了黨

02　指當時的九個政治局常委各管一攤的執政方式。

中央的軟弱無力，所以他就要加強黨的集中統一領導和個人集權。這是他上台的時候為自己集權找的正當性理由。

但這個理由事實上是不成立的。為什麼這樣說？因為權力分散是個偽命題。凡是搞民主政治，一定要講權力的分權制衡，你不可能把權力集中在一個人手裡面，搞個人專權。

胡錦濤時期的「九龍治水」不是權力分散，而是權力碎片化。權力碎片化，就是一個完整的國家權力，把它分割成幾個，九個常委每個人各管一塊——比方說周永康主管政法委，包括公安、檢察、司法在內的政法系統就全聽他的；劉雲山主管意識形態，那麼宣傳部、新聞出版署、廣電局等就全聽他的。

這樣下去會變成什麼樣呢？就是我管這塊，這塊就是我的領地，別人就不能插手，每個人都把自己手中的權力變成一個獨立王國。權力的運用是從個人利益角度考慮的，不是從整體國家效能的角度出發的。

當分權是為了國家整體效能的發揮時，它是有一個總體目標的，這麼做是為了維護這個國家的制度的健全，維護社會生活正常運行。但權力碎片化卻是個人說了算，個人都只考慮

自己這塊的利益，國家的整體利益反而沒有人在意。這個權力運行的結果，反而是傷害國家和社會的整體利益的。

還有一點，在民主國家中分權制衡的權力分散，它是有一個法治的運行軌道的，權力只能在這條軌道上運行，出了這個軌道，人家就要追究你的責任。而在中國，只要在你的管轄範圍內，這個權力你想怎麼用就怎麼用。

在中國有個現象——如果你是個強勢領導，你可以把一個弱勢部門做成強勢部門，不斷擴張權力；如果你是一個弱勢領導呢，你能把一個強勢部門都做成弱勢部門，被不斷邊緣化。這種權力運行是典型的人治，它不是法治。

所以從表面看，權力分散和權力碎片化都很像，但骨子裡是很不一樣的。因此要解決的是權力碎片化的問題，而不是權力分散的問題。解決權力碎片化的問題，不是說要把權力集中統一地抓到一個人手裡，而是應該建立分權制衡，讓權力在法治軌道中運行，這才可以真正解決中國共產黨黨內的種種問題。

袁　莉：在權力碎片化的情況下，當時有這麼多的既得利益集團，有這麼多的大家族，面對這種錯綜複雜的利益關係，

習近平怎麼可以一個人做到集權呢？

蔡　霞：習近平剛上台的時候，大家都知道國內的腐敗情況是很嚴重的，然後腐敗這個問題是左中右都痛恨的，朝野上下都願意反腐敗。當時流行的一句話叫「不反腐敗，亡國；反腐敗，亡黨。」但是你要是不反腐敗的話，共產黨是沒有威信的，而且腐敗的情況已經失控了。所以習近平上台以後就想搞反腐，這個東西是上上下下都願意的。

而習近平的反腐呢，實際上就是藉著反腐的名義給全黨來了個下馬威，他把反腐敗作為一個切入口，去把權力抓到手裡。落馬的人裡面一些是真的腐敗份子，也有些是跟他意見不一致的人，然後有些是處於關鍵崗位的幹部——當習近半想把這些崗位拿到手的時候，他就會以反腐為名調查這些幹部。

我剛才查了一下資料，中央紀委監察部在 2016 年 1 月 2 日公佈的數據，2015 年中管幹部接受雙規調查[03]的有 37 個人。什麼叫中管幹部？就是中央委員和副部以上的幹部，由中央

03　雙規，是指「要求有關人員在規定的時間、地點就案件所涉及的問題作出說明」，是中共紀律檢查機關進行黨內紀律檢查案件調查時採取的措施之一。

組織部直接管理的幹部（即所謂的「高幹」）。這 37 人中擔任正部級或正省級的就有 13 個。全國才有多少個正部級單位和正省級的地方？2015 年超過落馬總數的三分之一就是正省部級的幹部。然後在軍隊方面，2015 年 11 月公佈的數據，「十八大」以來已經有 45 名「軍級老虎」落馬。

據不完全統計，在十八屆中央委員會成員中，先後有 14 名中央委員和 15 名中央候補委員被查處，[04] 可以看出習近平的反腐力度還是很大的。但這些只是因為腐敗被定罪判刑的，還不包括那些以八項規定糾正黨風為由被查處的黨員、幹部。2021 年，中紀委副書記肖培透露，「十八大」以來，全國紀檢監察機關一共查處了近 409 萬人。

這樣一來，他就通過反腐立了個下馬威。因為在中國的這種體制下，貪腐是很普遍的。只要你有貪腐，你就不敢說話。只要沒整到自己頭上，所有官員都會有種僥倖心態。還有就是，這個幹部下了台，那麼位子不就空出來了嗎？等著想去效忠習近平的，等著爬上這個位子的，大有人在。

通過反腐，他不僅在黨內樹立了威信，還贏得了所謂的黨

04　2012 年的「十八大」，共產生了 205 名中央委員、171 名中央候補委員。

心、民心。後來大家才知道，他是選擇性的反腐，其實是用流氓手段控制了全黨，把所有人都嚇住了。

還有一個什麼手段呢？中國共產黨在 2010 年的時候，建立了一個領導幹部報告個人有關事項的規定，就是說每年到年底的時候，副處級以上幹部要申報你的財產。本來官員的財產公開，應該是向社會公開，接受社會公眾對官員的監督，但共產黨始終沒敢把官員財產向全社會公開。但它做了一個什麼事情呢？它說你的財產必須要向組織公開。所以它就讓處級以上幹部要向組織申報你的工資多少、獎金多少、你講課寫文章賺了多少，你們家炒股收入是多少；你的老婆要是高企業的，她的企業情況是什麼樣的；你的子女在哪裡，幹什麼的……全都要報給組織。

但全黨幾百萬幹部，怎麼可能一個一個去查呢？他就抽查你是不是如實申報；如果你不如實報，抽查到你，首先就說你對黨不忠誠。所以每個人都不知道他抽查到誰，每個人都不敢不如實報。

對於官員來說，這就等於乖乖地把「小辮子」交給組織了。你的「小辮子」被人攥在手裡，你不害怕嗎？我有一次在給北京市委組織部的幹部講課時，我就問了這個問題：你們這

樣把每個人的材料都拿在手上，你們部裡邊的人自己看了，想整誰整誰嘛。結果他們給我解釋說，不是的，我們是只有兩個時候用，一個就是提拔幹部，我們一定要看他／她的材料；第二就是有人告狀了，我們會打開來看。

袁　莉：那就可以鼓勵人告狀嘛。

蔡　霞：對啊。所以 2016 年的年初，中紀委發了個消息說：2015 年中組部和中紀委將個人有關事項報告抽查、核實的範圍由過去的 3％至 5％提升到 10％，則抽查核實的人數達36.2 萬名，有 3,770 個人被暫緩提拔或者取消提拔；對幹部的檔案或申報材料弄虛作假問題，查處了 535 起，通報了54 起。

這些東西就等於是說，我抽查不一定抽查到你，但是抽查到誰，誰倒楣。我知道有一個中央機關的女幹部，她工作和表現一直都很好，然後他們想把她從處級去提到副廳級。好，就把她的材料拿出來看一下。最後就延緩提拔，說她對組織不忠誠、不老實。

是什麼情況呢？就是她的先生是一個大學的老師，搞理工科的。因為理工科很容易把自己的科研成果轉化為生產實踐，

就可以辦一個小公司嘛。她先生就曾經辦過一個公司。但畢竟是老師，幹不好賺錢做生意這個事情，那個公司也就開了個張，就沒經營下去，但是也沒註銷，掛在那。而她自己並不知道，在他們認識之前，她的先生曾經註冊過一個公司；等到多年以後要提拔她的時候，把這個事情翻過來，說她對組織不老實。

所以每個人心裡面怎麼想的？就是你自己根本就不知道有這件事情，他就給你扣個帽子，說你對組織不忠誠，然後就不斷地審查，讓你去交代。所以在這種情況下，就相當於副處級以上幹部的所有人的「小辮子」都在他的手裡，他想整誰就整誰，這對整個共產黨的幹部隊伍來講，心裡是會有恐怖陰影的。

袁　莉：那他這樣子做，肯定也會引起非議吧？

蔡　霞：是的，2012 年他上台，2013 年反腐敗，到 2014 年議論就出來了。出來什麼樣的議論呢？就是選擇性反腐。大家看到，就是紅二代、太子黨的貪腐，你們誰都不查，查的全是草根出身的幹部，對吧？這是一個大家普遍的議論。還有一個什麼情況呢？大家如果去注意 2013 年、2014 年的反腐，是政府行政系統的官員被查處得多，黨務系統的官員幾

乎沒有被查處。因為政府在行使行政權的過程中涉及到大量實務的處理，而這中間容易滋生錢權交易。因此反腐運動一開始，就是先把政府系統的官員拿出來祭旗，而黨務系統的貪腐都沒有去查。

在我眼裡看到是什麼呢？是共產黨裡邊幹活的幹部被不幹活的幹部打了。因為黨務系統的幹部和社會的實際工作隔一層。他們是喊口號的人，天天喊什麼「擁護黨中央」，什麼「堅持黨的領導」，你只要把口號喊好，紀委查出幾個大案要案，政治上就有政績了。

這樣一來，共產黨的官員就開始「躺平」了，當時還沒有「躺平」這個詞，我們說的是「原來的官員是胡作為、亂作為，拿著權力想怎麼用、就怎麼用；現在不知道該怎麼幹了，所以叫『不作為』。」到了 2014 年下半年開始，就有些批評意見出來了。然後大家知道的，他就出了四個字：「不得妄議。」

當時我以為「不得妄議」是針對我們這些好提意見的人所說的，但後來有人告訴我，「不得妄議」是針對那些還活著的、退下來的常委和政治局委員以上的人說的。

那他怎麼來堵這些老人的嘴呢？他就說，如果你想妄議，好，我先把你的司機抓起來。因為你在車上說過什麼話司機都能聽見，可以從司機嘴裡挖出材料來整你。從周邊開始，先把你的司機抓了，再抓你的下屬，你心疼不心疼？還可以，是吧？你還妄議、還說話，好，那就抓你的秘書，秘書比司機更知道你幹過什麼。抓了秘書，你還不服氣，你還想說話？好，抓你的孩子。一旦是要動到你的子女的時候，所有人都會閉嘴。所以呢，他用「不得妄議」四個字，就把這些老人們的嘴巴全都堵了，因為這些人沒有哪個人家裡是完全「乾淨」的。

他把老人們的嘴都堵上了，但全黨幾百萬的幹部、幾十萬的黨員還要說話呢。所以到 2015 年的年底，中央十八屆的五中全會，他就修改《關於黨內政治生活若干準則》，然後再修改《中國共產黨紀律處分條例》，立下了一個政治紀律，把「不得妄議」、「四個意識」，都寫到這些條例裡面去。誰要說一句、批評一句，他就說你妄議中央，然後「不得妄議」就變成了一個可以處罰全體黨員的依據。這樣一來，他就把全體黨員的嘴巴全封住了。

所以你說他的集權為什麼那麼容易？這就是他的政治手腕，或者說流氓手段，在黨內進行那種恐怖統治。

袁　莉：那習近平他這麼集權，對中共這個政黨是意味著什麼呢？

蔡　霞：他這麼集權以後，就是全黨閉嘴，大家就不說話，他就可以在黨裡面做到為所欲為。他為所欲為的第一個例子，就是 2018 年的修憲，當時沒有人能夠阻擋他，也沒什麼人敢說話。所以我後來才說習近平是個黑幫老大，中國共產黨已經成為一個政治殭屍。

「二十大」以後，他和其他六個常委出來，清一色的都是秘書，不管是蔡奇也好，李強也好，丁薛祥也好，都曾經是他的秘書；然後李希曾經也是習仲勳（習近平之父，中共第一代、第二代領導集體成員）部下、甘肅省委書記李子奇的秘書；王滬寧是中央政策研究室的主任，其實就是黨中央的秘書。

所以你就可以看到，共產黨其實已經不是政黨了。政黨在黨內有不同意見是很正常的事，但這次「二十大」讓大家都看到，他不需要任何平衡，赤裸裸的就是：我的秘書來當常委。所以從那以後中國共產黨的常委會就沒有任何真正的討論了，開會就變成像老闆跟下面的人講話一樣，這個黨就捏在習近平的手裡，變成了他的工具。

袁　莉：就是一個人的意志說了算了，是嗎？

蔡　霞：對。一個人的意志操控全黨。

袁　莉：那以後對習近平還有什麼制約因素嗎？因為我們大家都還年輕，我們還要想著以後怎麼過下去，這個國家會變成什麼樣子，然後對我們中國十四億人，習近平極權會意味著什麼？

蔡　霞：在這些事情出了以後，尤其是在三年「清零」[05] 以後，有人認為這個國家會走向朝鮮化，但我個人認為它不會走向朝鮮化。為什麼呢？從五十年代到現在，朝鮮從來就沒有對外開放過，金家三代是很牢固地控制著朝鮮社會，朝鮮人民根本就聽不到外面聲音。

如果沒有改革開放，中國也會是朝鮮這樣。但在八十年代和 2001 年到 2006 年──這兩個間斷的年代，中國對世界的開放度是比較大的，各種聲音、各種思潮、各種理論都已經進來了。大門打開了以後，中國人是看到外面的，所以要想像

05　清零，是指因應急性傳染病而實行的防疫措施。中國在 COVID-19 疫情期間，提出「動態清零」概念，並以全民核酸檢測、強制集中隔離等方式執行清零政策。

朝鮮那樣的把國門完全關死了，讓習近平一個人當皇帝，甚至他們家小孩接班當皇帝，我覺得這個不可能，他做不到這一條。這是第一點。

第二點，因為改革開放，中國其實是和世界的經濟是連在一起了，這種外部的因素會對中國的局勢影響愈來愈大。

這些影響的力度到底有多大，在一定程度上取決於中國對世界其他國家的依賴性有多強。過去，習近平或中國共產黨認為，世界離不開我們，因為我們是世界工廠，世界的供應鏈都在我們這兒。但現在當大資本、外企都撤出、轉移之後，事實上就證明，中國離不開世界，但是世界可以離開中國。

還有一個變數是中國經濟。在三年「清零」以後，它現在是在一個自由落體的狀態，但它糟糕到什麼程度？習近平他們能不能把經濟救上來？能救到什麼程度？可能就要看 2024 年經濟和社會的恢復是什麼樣的，然後才能看出他是能夠穩住這樣一個完全控制的局面往前走，還是迫不得已地要逐步轉向。

中國的經濟結構已經扭曲了很多年了，它一直沒有能夠做到所謂的深化經濟改革，進行產業升級換代。所以我們可以看

到那種粗放型的經濟，小微企業等的生產力仍然是比較落後的，是世界市場都已經開始淘汰了的。過去一些東西可以升級換代，它沒有做，所有這些東西（問題）都集中到現在了。

專訪裴敏欣：
認識中共的政治邏輯和監控體系

裴敏欣，1957 年出生於上海，現任美國加州克萊蒙特・麥肯納學院（Claremont McKenna College）政治學教授，研究方向是專制政權與威權體制的轉型。他是中國文化大革命後最早一批留美學生，在哈佛大學（Harvard University）獲得政治學碩士和博士學位，師從著名的政治學者薩謬爾・杭亭頓（Samuel P. Huntington）教授。他出版過的書籍有：《從改革到革命：共產主義在中國和蘇聯的滅亡》（1994 年）；《中國被困的轉型：專制制度發展的限制》（2006 年）；《出賣中國：權貴資本主義的起源與共產黨政權的潰敗》（2016年）；《哨兵國家》（2024 年）。

新冠疫情期間，中國的「清零」政策造成了巨大的防疫次生災害——醫院停診、供應鏈斷裂導致了很多老年人和基礎病患者的死亡，居民長期被封控在家引發了群體性的心理危機，高昂的防疫成本和間歇性的社會停擺更是對經濟產生了難以估量的影響。

在與「不明白播客」的先後兩次訪談中，裴敏欣分析了中

共堅持推行「清零」政策背後的政治邏輯，以及「作惡授權」的體制特徵。他認為，「清零」政策之所以能在擁有 14 億人口的中國全面實施，還有賴於一個強大的國家監控體系——它不僅包括過去幾十年精心構建的現代技術監控工程，更重要的是龐大的、勞動密集型的線人網絡。結合他 2024 年剛剛出版的新書《哨兵國家》（*The Sentinel State*），裴敏欣解釋了這樣的國家監控體系是如何運作的。

「動態清零」的政治邏輯

節目播出時間： 2022 年 6 月 1 日

訪談要點：

◆ 極權體制的糾錯機制

◆ 中國「作惡授權」的政治體制

◆ 「平庸之惡」：為什麼政策執行者只會「唯上是從」？

◆ 當局如何進行社會控制？

◆ 「清零」政策會對中共的合法性構成威脅嗎？

◆ 面對暴政，普通中國人能做什麼？

袁　莉：2022年的時候，「動態清零」政策讓民眾怨聲載道，經濟也一塌糊塗，但中共為什麼還是要堅持呢？您能否解釋一下這背後的政治邏輯？

裴敏欣：可以從兩層來講，一個是政權跟社會的關係，一個是政權本身內部的權力分配問題。

現在中國的政權跟1959年的時候相比，雖然表面上看很不一樣，但實際上它本質沒有改變，它還是一個無限權力的政府，社會對它沒有任何制約，所以唯一能夠制約它的就是政權內部的權力分配。

在毛澤東時代，還是有一點像彭德懷那樣的反對聲音，會出來試圖讓最高決策者改變主意。如果最高決策者能夠聽取不同意見，那麼這個政權還是有一定的糾錯機制。但如果最高決策者把這種不同聲音看成是對他權威的挑戰，那麼他就會採取硬來或者變本加厲的方式回應。

如果你去看「大躍進」的歷史，盧山會議[06]之後死的人遠超

06　指的是1959年盧山會議，具體時間是1959年7月2日到8月16日，彭德懷期間寫信給毛澤東指出「大躍進」的左傾錯誤，之後會議轉向批鬥彭德懷等人。

過盧山會議之前死的，那就是毛澤東選擇了變本加厲的方式來回應。

在習近平集權之前，鄧小平、江澤民、胡錦濤時代，為什麼這三十多年中共相對平穩呢？就是因為存在一個權力的制衡，讓領導人不會犯很大很大的錯誤。當然，由於權力制衡，有許多重要的事情也辦不成。比如八十年代，陳雲的反對使許多鄧小平的改革步驟不能展開，而江、胡時代，中共的權力基本上是共用的。但現在不一樣了，所以很容易重複犯大躍進以前的錯誤。

我另外的一個觀察，就是在中國的政治體制下，如果要上面往下要做好事呢，是會層層打折扣，為什麼？它涉及到利益相關者很大，所以上面有一個很好的主意，到下面能夠實現5%，那就是很好的了。同時這個體制又有一個很壞地方——你如果要做一件壞事，就會層層放大。比如說上面有一個想法，只要這個事是對下面當官的有利，他就會寧左勿右，就有一個把壞事放大的機制。所以在這種情況下，一旦最高層本來的政策是錯誤的話，到下面就會糟糕透頂。

袁　莉：對，您上次跟我說了孫立平老師（中國清華大學社會學系教授）提出的「作惡授權」，是這個意思嗎？

裴敏欣：就是這個意思，因為每個政治體制它都有一個內在運作邏輯。在中國，我們都知道官員不作為沒事；做壞事，只要受害者是老百姓，也沒人管你。但你一旦違反上面的意志，就不一樣，因為這個體制它是很工具化的，只要你給我把什麼事辦成了，就別跟我去討論代價的問題，所以「不惜一切代價」這種語言在中國官員的表述中是很多的。什麼叫「不惜一切代價」？就是不惜社會承受代價。讓當官的自己承受代價，那他根本就不會幹。所以，一旦有了這種「作惡授權」的體制，那當老百姓是很苦的。

袁　莉：2022 年 1 月西安封城的時候，我就寫了一篇〈中國鐵腕病毒清零政策背後的百萬「螺絲釘」〉，用到了漢娜·阿倫特（Hannah Arendt，漢娜·鄂蘭）提出的「平庸之惡」這個概念，就是說「清零」政策的執行者，他們覺得自己只是按上頭的命令做事，也不管這個命令是不是對的，只是為保住自己的飯碗。

為什麼他們可以做到不管不顧人的死活，不管不顧人類最基本的情感、最基本的需求？這個確實我是沒有辦法理解的，為什麼這些人到了那個位置上就會這樣呢？

裴敏欣：所以這次危機過後，有許多問題值得深思。一開始

我們談的時候，你說這次「清零」跟歷史上的政治運動有哪些相似之處？當然最相似就是「大躍進」，這是從人為造成災難的角度談。但你提到的這種「平庸之惡」，它和文革也很類似，就是做這些無情、殘酷的事的人，絕大多數都是平民。

袁　莉：就是這個制度到了一定程度，實際上把人性惡的一面全給激發出來了。

裴敏欣：許多壞的地方都被放大了，就是一個壞的制度。在這個制度下，第一是不能做好事，第二是做壞事也沒有懲罰，所以這就使得「平庸之惡」成為了一個普遍現象。

袁　莉：您知道「大白」吧？就是因為穿上防護服，好像就有了權力。所以現在我們的朋友都在買防護服，說既然穿上就有權力，為什麼不呢？就是很滑稽。

裴敏欣：對啊，在文革的時候你只要戴紅袖章，你就可以到人家家裡去抄家、去搶東西、去打人，也沒人管你啊。

袁　莉：還有就是，有人說這個「清零」是一場社會控制的試驗，您同意這個說法嗎？現在也流行一種說法——「上海

新疆化、全國上海化」，您怎麼看這種說法呢？

裴敏欣： 中國從九十年代末開始「維穩」（維護國家局勢和社會的整體穩定），這次其實是維穩成果的實戰試驗。中央政府可以發一個命令，一下子就可以讓上海 2,500 萬人兩個月不出門。

這次封城動用了龐大的社會維穩力量，武警啊、居委會啊、還有網格員、健康碼等等都用上了，還包括網絡審查──許多人社交媒體上的言論都給屏蔽了。

你就看世界上還有哪一個國家有能力在兩個月內把 2,500 萬人都關在家裡「足不出戶」？這是很難想像的。當然這跟中共在新疆的做法還是有許多具體差別的，它用了一些類似於在新疆實現社會控制的方法，但還沒有把全套都用上。

這次「動態清零」中有兩點。第一，它是一場群眾運動，動用的人力資源不得了，光靠技術是做不到的。最有效的監控體制，一定是一個很嚴密的組織系統，加上高科技手段，兩者缺一不可。

像東德斯塔西，[07] 基本上是靠人力。東德當初是 1,600 萬人口，它的國家安全部就有九萬人，如果按照這個比例，中國的安全部門就要 850 萬人，那是不可能的事情。但中國從毛澤東時代到現在用的，是所謂「楓橋經驗」[08]，就是發動和依靠群眾，舉報啊，當線人啊，靠這個來彌補。那個時候中國窮，所以窮有窮的辦法。

現在中國有了高科技手段之後，就把以前專制國家的秘密警察系統甩開十萬八千里了。特別是最近二十年建成的「天網系統」，過去七八年裡開始建設的「雪亮工程」，都用的是最先進的技術來進行人臉識別、雲計算、雲儲存。這就是為什麼你有了「黃碼」[09]之後，在現實中寸步難行——很簡單，如果你被警察發現了，他只要把你身份證號碼和照片輸進系統，你到哪裡都可以把你給抓住。

還有就「網格化管理」，差不多是一千人就有一個網格員，

07　斯塔西，又譯為史塔西，東德國家安全部，成立於 1950 年 2 月 8 日。

08　「楓橋經驗」，是六十年代「社會主義教育運動」開展初期，在浙江省寧波專區諸暨縣楓橋區（今為浙江省紹興諸暨市楓橋鎮）創造的一種「發動群眾、對階級敵人加強專政」的經驗。

09　COVID-19 疫情期間，中國實行「健康碼」定位追蹤應用程式，以標識個人的染疫風險評估。「健康碼」分為「紅碼」、「黃碼」、「綠碼」，「黃碼」代表具有感染新冠病毒的風險。

專門來管你，他身上帶一個特別的手機，跟街道的系統接在一起，有什麼事情就可以和街道反饋。所以我想現在中國的監控系統，肯定是世界上最先進的，也是歷史上最先進的，沒有哪一個國家能超過它。

袁　莉：很多人說，幾十年來，中共和中國人民的社會契約是以經濟發展獲取政權的合法性──只要你能讓我過上好日子，或者能讓我的孩子過上好日子，就可以容忍中共對個人權利的打壓，我們都埋頭掙錢過日子不說話。但這次「清零」運動對經濟的打擊非常大，這種情況對中共的合法性構成嚴重威脅嗎？

裴敏欣：那肯定有威脅。我一直在想，中國是否能變成一個大北韓（朝鮮）？這是一個很有趣的問題。因為北韓的政權沒有什麼合法性吧？就是靠暴力，靠殘酷，靠鎮壓。在一個十四億人的國家實現北韓這種統治辦法，在「毛時代」是可以的，但是經歷了四十年的改革開放，你如果說失去了一個所謂政績合法性，完全靠消息封鎖、暴力、秘密警察、技術監控，是否還能維持統治？我想是比較困難的，因為畢竟是那麼大的國家，比較難管。再有就是因為金家是一個家族王朝，但中共畢竟是個黨啊，黨裡面還是有一定的制約機制的。

當然，經濟跟政權合法性的關聯會有一個發酵時間，並不是說今天股票跌得一塌糊塗、工作沒了，我明天就得上街了，因為還有許多機制可以把民間的怨氣傳導到精英集團中去。最終這種政權的改革，肯定是精英集團內部發生了分裂。例如在毛澤東後期，就是陳雲、華國鋒、鄧小平跟「四人幫」決裂了，然後華國鋒跟鄧小平又決裂了，才會出現改革開放。

如果說過了一兩年，經濟很不好，統治精英本身也會受到影響，因為現在中國的政治精英同時又是經濟精英，他們自己家裡的人賺不了錢了，自己的腰包也相對縮水，那他自己也會感到政策的失敗，所以還是會有一段發酵時間。

我是經歷過文革的，我記得在文革十年間，經濟很糟糕，我父母、哥哥十幾年沒漲工資，就是窮得不得了。到了後幾年，老百姓感到實在不可忍受，所以才會出現 1976 年「四五」天安門事件，[10] 這並不是僅僅為了紀念周恩來的，是因為怨氣積了十年了，它還是有一個發酵的過程。

10　1976 年 4 月 4 日至 5 日，中國因悼念周恩來而引發了大規模群眾抗議活動，天安門廣場成為活動的主要場地之一；是次活動最終以暴力清場收場。

所謂中國共產黨和中國人民的社會契約，不僅僅是一個經濟層面，我認為還有另外一方面，就是說我可以不要有政治權利，但是我要有一定的個人自由。我要做什麼事情、我穿什麼衣服、我要到哪裡去，當我在做跟政治無關的事情的時候，你不要來管我。

但這次「動態清零」，一下就讓許多老百姓感到，以前一直認為是天生就有的個人自由也沒了。中國不是一個民主國家，很多人認為政治民主無所謂，只要我有個人自由就可以了。但這次明顯感覺到，如果沒有民主，你個人自由也沒了，沒有任何東西可以保障你的個人自由。從這個層面講，恐怕這次「清零」對共產黨威信的負面衝擊是很大的。

袁　莉：這一期好像比較黑暗，但是要講中國「清零」政策背後的政治邏輯，可能很難不是一件很沮喪的事情。那麼在這樣子的情況下，普通中國人能做什麼呢？

裴敏欣：我想大家應該反思，因為以前沒有想過的事情，現在發生了，你總得去思考一下，為什麼會出現這種事情，它到底是有什麼樣的深層原因。然後，我還是認為抱怨是有用的。因為現在共產黨，它不管怎麼樣，畢竟還沒有到北韓的地步，所以民意還是管用的，同時民意也會讓你的朋友、親

戚、家人感到他們並不是孤獨的，他們的想法就是大家都在思考的，這個也很重要。

我們剛才講到「平庸之惡」，反過來講，我們可以思考如何在日常生活當中做善人、做好事。如果說今後能夠把這些小事做好，我想肯定是一個進步。因為你不能指望個人去挑戰那麼強大的專制機器，它根本就不講情面。但從個人層面來講，做些事情，我想還是基本上可行的。

袁　莉：對，我覺得這次上海人實際上做得非常好，我會覺得上海是有一次小小的文藝復興，那麼多人寫了那麼多的帖子，然後做了很多的音樂、很多的視頻，然後大家就是不停地轉發，不管當局怎麼封鎖，我覺得在中國這就是已經是挺了不起的一種反抗了。

裴敏欣：對，中國歷史上，特別是 1949 年以後發生了多少悲劇，我們一直在忘掉它們。當然，中國政府希望我們忘掉它們，試圖把這些集體記憶給抹掉。我想另外一件事情就是記住這次上海封城，通過各種各樣的藝術方式也好，文學方式也好，讓這次付出的那麼多的代價不要白費了，學費不要白交了。

中國的國家監控體系

節目播出時間：2024 年 3 月 30 日

訪談要點：

◆ 中國的國家安全系統的組成和職能

◆ 中國的線人情報系統

◆ 如何對重點人口／重點人員展開監控？

◆ 政治監控帶來的影響

◆ 國家監控系統的運作成本、中國經濟和維穩系統的關係

◆ 強大的監控體系能否維持中共的長久統治？

◆ 監控系統在中國以外能有多大影響？

袁　莉：中國的國家安全系統主要由哪些部分組成？它們各自的職能分別是什麼？

裴敏欣：中國的監控系統跟其他國家有一個區別，在其他專制國家，包括前共產主義國家，他們的監控系統都是由一個特定的官僚機構負責，例如前蘇聯的克格勃（KGB，國家安全委員會），東德的斯塔西或者一些國家的國安部。但在中國，監控系統主要包括三個部分。

第一部分，是國安部。國安部在中國的職能比較窄，根據我的公開材料分析，如果說是跟國外有聯繫，就是屬於國安部管的，因為國安部有一個反間諜的職責。另外，國安部在少數民族地區很活躍，是否表示它在少數民族地區有獨享、監控那個地區的責任呢？這很難講。但我認為，少數民族地區的國安體系比較活躍是有道理的，因為中國一直認為，中國的少數民族矛盾是由外來勢力挑起的。

第二個部分，是國保體系，現在叫政保體系，是歸公安部管的。更具體來說是歸公安部的一局，政治保衛局管的，以前它叫國內安全保衛局，再到每個省的國保大隊，然後再到國保支隊。這個體系，主要是針對國內異議人士，還有地下宗教組織、邪教等，還有高價值的可疑份子、敵對份子。這個

體系不是最大的，根據地方的材料，可能全國國保體系總人數也不過就六萬到九萬人左右。

第三個部分，是地方的派出所。民警人數就比較多了，管這方面的民警全國大概有五六十萬左右。

這是三個正規軍，但還有非正規軍，那就多了，主要是線人，這是一個很龐大的組織。

中國跟其他專制國家不一樣，中國它有許多政府組織、國家企業、大學院校、科技研究單位、居委會、村委會，都會承擔監視的任務，都可以發展自己的信息員，也要承擔關鍵的維穩任務，但維穩任務的一大部分就是監控。

袁　莉：讀了《哨兵國家》後，我感覺中國共產黨太厲害了，沒有哪個國家的監控能比得過它。

裴敏欣：我在寫這本書的過程中，特地去看了前蘇聯跟東德——它們比其他的前共產主義國家，對社會的監控做得都有效，但它們沒有像中國這樣走群眾路線的，中國搞的就是人民戰爭、「楓橋經驗」。

前蘇聯國家沒有居委會這種組織形式，也沒有發展大學院校做監控任務，像中國一個大專院校，它有自己的政法系統，實際上是和警察派出所一樣的。

另外一個中共和蘇共、德共最不一樣的，就是它有一個政法委，專門替黨來執行國內安全任務和維穩監控的一個機構。要建立一個自上而下、每個層級都有的黨的官僚機構，是要投入很大成本的。中共有宣傳部、組織部、紀委、統戰部，第五個就是政法委。作為一個組織來講，中共對政法工作是特別重視的。

從歷史角度來講很有趣。政法委從 1950 年代就有，它一開始不叫政法委，叫政法小組。在 1980 年代也是人很少，沒有什麼專職的書記，是 1989 年之後，中國出現了維穩大躍進，監控大躍進，政法委才開始快速發展的。

還有，中國的改革派，像趙紫陽，1988 年他要做的很重要的一個政治改革，就是把政法委給去掉，因為他知道政法委是中國法治的一個很大的障礙。

袁　莉：您前面也說了，很多人對中國的現代監控技術印象很深刻，比如說天網視頻監控體系，還有全國公安工作信息

化工程——俗稱「金盾工程」，還有人臉識別體系，疫情期間的健康碼等等。但您在新書中說，中國最大的優勢不是這些高科技，而是提供情報的線人系統。您能不能給我們解釋一下如何得出這個結論呢？

裴敏欣：我想有幾點。

第一，在中國有高科技的監控體系是最近二十年的事情，「金盾工程」，就是公安系統信息化工程，它是 2006 年左右完成的；天網工程，是城市的視頻監控系統，那是二十年前開始籌建，差不多建成也就十年，所以人臉識別技術在中國採用不過也就十年左右的時間。

中國真正有一個依靠現代技術的監控體系，也就是過去十年的事情。但在這一套技術出來之前，中共對一般人民的監控能力就很強，所以我們可以判斷它的監控能力跟技術是沒有直接關係的，它以前就有這個能力，但現代技術使它的監控能力更加提高。

第二，現代技術有許多盲點，靠視頻的監控，它只有在有攝像頭的地方才能看到你，但攝像頭不可能到處都有，在許多場合它是沒辦法辨識到你個人，就不知道你的動向。再有，

它只能看到你在那裡走，但你在想什麼它根本就不知道，這也是一個盲點。

第三，我們現在講的手機監控，是中國其實用得最廣泛、最有效的一個監控手段，因為它可以把你定位，知道你在哪裡，但即使這樣，你仍可以避免中國的監控系統對你手機進行定位——拿錫紙把手機包起來就沒有信號了。

高科技監控有許許多多的限制，而依靠線人監控是特別有效的，特別是對有些信息，比如被監控對象的想法，和誰交流等等。

袁　莉：您在書裡面就寫到，1989 年柏林牆倒塌的時候，東德 1％ 的人口都為特務機構斯塔西工作。您自己也估算，2010 年代中國大約有 0.7％ 到 1.13％ 的人口，也就是 1,000 萬到 1,580 萬的中國人是信息員，差不多有 1,600 萬的中國人都是幫政府做監視工作。您能講一下什麼樣的人最容易被招納進這個線人體系？他們主要是做什麼、會得到什麼報酬，還有所提供的信息有多少是有價值的？

裴敏欣：信息員其實是中國的一個線人體系裡面檔次最低的一等，他們是屬於地方體系的，是最外層的。公安體系、國

安體系，它們也有自己的線人，是比較高級的，它叫特別情報人員，簡稱叫特勤。

特勤就管得很嚴，有一整套關於物色、篩選、評估、報酬的管理辦法，那很保密。但我看了一個材料，2004 年的陝西公安志（顯示），大概有 18,000 名特勤，你就可以去跟當時陝西人口總數去比較，大概是萬分之四。如果各地都是按陝西這個比例，中國在那時可能有大概六十萬左右公安體系的特勤。

第二個檔次是地方民警也可以自己去找線人，他找的線人叫治安耳目。那麼治安耳目有多少，我沒辦法找到。但特勤有一個指標，就是每年要發展兩個治安耳目。根據這樣估算，大概有八十萬左右的治安耳目，這兩個（公安體系的特勤和治安耳目）加起來就一百多萬。

所以我估計，第三類信息員有大概最多 1,500 萬左右，中國跟東德差不多，至少有 1% 的人口是給中國政府或者中國警察體系擔任不同形式、不同程度的情報信息工作。

他們到底是什麼樣的人呢？比如出租車司機。像西安，基本上 12 個出租車司機裡面有一個特勤。還有快遞員、清潔工、

車站的小賣部、樓棟長，還有物業管理，停車場的工作人員
……他們都是能觀察到很多東西的，這是他們物色特勤或信
息員比較重要的一個標準。

特勤主要有三類工作，第一類是破案，專案特勤，比如調查
謀殺、盜竊，或者是有地下組織、非官方的馬列主義學習組
織，就要派人打進去。根據陝西的資料，10％的特勤是做這
類工作的，專門跟嫌疑犯接近，瞭解情報。

第二類，叫做政敵特勤。中共並不是所有地方都監視，總歸
要有重點，比如圖書館、大學、西藏的寺廟、車站、廣場，
比較容易出事的地方，或是有異議份子聚集的地方，它都會
派政敵特勤在那裡監視。公安體系發展的 40％的特勤都是
負責這類。

然後剩下一半的特勤，通常是蒐集普通情報，我估計就是有
警察定期來找他們，問他們說聽到什麼東西，可以跟警察反
映。

像信息員，檔次最低的，在 1,000 萬到 1,500 萬之間那些人，
他們主要是蒐集普遍情報。根據地方的材料統計，他們收集
情報是分三類：

一類叫敵情，就是法輪功、疆獨、藏獨、台獨、港獨等，還有民運份子、恐怖主義等，但只有3％的情報是有關這類的。

另外大概有25％的叫政治情報，例如說人家對習近平有什麼看法，世界上有什麼大事情，有關中國政府的反動言論等等。

然後70％是叫社情，是社會情況，就是現在社會什麼是熱議話題，青年就業困難、還是物價、房價？這類情報是通過信息員來收集的。

袁　莉：為什麼不用社交媒體呢？我看您書裡面寫的，他們是用這些人來做輿情、民意的監控，那直接在社交媒體上收集不是更大規模、更有效嗎？為什麼要用人呢？

裴敏欣：我想他們也有（在社交媒體上做監控），我看中國政府成立了好幾個輿情監測中心，但他們不會把所有雞蛋都放在一個籃子里，有自己發展的線人，也許可信度會更高一點。

我另外還想講，人們為什麼願意給中國警察體系做這種缺德的事情？

情況是很複雜的。給警察做的，基本都是被警察抓到一些把柄的，比如你是參加了民運，做了一些事情，他們把你抓去的第一件事情，就是想辦法把你變成他們的線人，這樣就可以通過你來瞭解許多情況。

另一個，中共它是一個列寧主義政權，對經濟有很大的控制力，比如你是國營單位的，領導來找你，說你給我做維穩信息員，你敢說不嗎？那你的飯碗會被敲掉。還有一些，比如你是開個小攤的，定期要延執照，那政府對你又有一個重要的把柄。

所以列寧主義政權要找線人，遠比一般其他類型的專制體制要容易得多。當然也有人是要賺錢，因為有些信息員是計件工資制，有比較有價值的情報，可以賺五十塊、一百塊，甚至上萬元的都有，但是我分析大部分信息員是被迫的，是害怕政府報復才做的。

中國雖然信息員很多，但你不知道每個人到底是提供多少信息。根據有限的地方資料，差不多有 40％的人是提供情報的，就等於一個人提供了 0.4 個情報，所以大部分人只是名義上的信息員，但實際上不提供信息。

另外一個很有趣的現象是，75％的信息是沒價值的，有價值的信息它會上報，上報的有效信息才 24％左右，所以這個體系雖然龐大，但如果根據它的價值硬指標來講，並不是那麼重要。

當然有兩種解釋。第一種解釋，中國是相對穩定的。過去中國經濟發展黃金時代沒什麼大事，政治沒有多少敵情可以提供；另外一種解釋就是，雖然它提供的情報不多，但這個體系還是有用的，我們都知道旁邊的人可能是信息員，那就要很小心，本來想說的話就不說了，本來想做的事情不敢做，這個體系還是起到了威懾作用。

袁　莉：您也寫到說大概有 1％，也就是 1,300 萬的中國人是重點監控人口，受到政府的監視。這些人一般是什麼樣的人呢？對他們監視行動是如何開展的呢？

裴敏欣：監視體系它肯定有一個腦袋，那就是政法委；它肯定有手，就是公安體系；它肯定有耳朵、眼睛，就是線人。這些人它管什麼呢？就是監視對象。

在中國，有兩個正規的監視項目，一個叫重點人口，那是公安部管，每個派出所都有重點人口檔案；另外一個，叫重點

人員。

重點人口都是公安部定，它有很詳細的重點人口管理規定，網上能查到的，這是一個很正規、統計很嚴的監視項目。這個項目從 1950 年代就開始，只是到了 1980 年代才制度化，進行廣泛推行。那麼哪些人是重點人口？

到了大概 2000 年左右，我在地方材料看到，其實（重點人口）大部分都是有犯罪前科的人。它有一個規定：從監獄放出來五年裡面，你都是重點人口；那麼公安就要定期來，知道你到底做了些什麼事情。重點人口大概有四五百萬人左右，裡面涉及到政治問題的很少，大約 3% 左右。

重點人員，我們對它的瞭解沒有重點人口那麼多。因為地方的年鑑里，重點人員這一行不多。但有一點是很明顯，重點人員是地方管的，重點人口是公安局管的。地方上到底哪個官僚機構在管理重點人員？估計不是政法委，因為政法委的人很少，一個縣也就十來人；我估計是居委會、工作單位兩個地方在管理。

重點人員裡面，涉及到政治問題的人就比較多，到底佔多少比例我們不知道。但我們看到材料裡列出了哪些人是重點人

員，包括邪教人員、訪民、復員軍人──因為復員軍人很有組織能力，經常就會「鬧事」，再有就是少數民族涉疆、涉藏的，或是涉軍的。重點人員，其實是中共對社會中，對它直接構成不同形式、不同程度的政治威脅的人員進行監控的一個最主要項目。

袁　莉：我們再來談一談政治監控或者政治間諜。您在書裡面寫到，一個充斥著線人的社會，將會因不信任而分裂。因此，政治間諜活動一箭雙雕──它識別出對政權的潛在威脅，並在民眾中播下不信任的種子。您能不能給我們講一下，這個政治情報監控的規模究竟有多大？

裴敏欣：到底規模有多大，我們沒有足夠的數據做一個廣泛統計，但我們基本上知道它有多少警察和線人。

我書裡面特地舉了大學的例子，因為大學是陣地。我們知道 1980 年代大學很活躍，八九民運[11] 最主要是由於八十年代大學的啟蒙運動；「八九」之後，中共做的一個很有效措施，

11　八九民運，是指 1989 年 4 月開始、因紀念前中共總書記胡耀邦而在中國掀起的一系列民主運動，其時陸續有許多高校學生、各地民眾在北京天安門廣場集結抗議。1989 年 6 月 4 日凌晨，天安門廣場被暴力清場，這場民主運動以當局鎮壓收場，之後也被稱為「六四事件」。

就是重新佔領校園，用的手段就是叫「陣地控制」。「陣地控制」最主要的手段就是發展線人。根據一些大學的年鑑和網上的一些資料，基本每個班級都有一個信息員，要進行定期彙報。

為什麼說「八九」之後大學不再是一個思想很活躍的地方？很重要的一個原因就是這種監控，一下子大家都不敢說話了。專制體系就是希望民眾之間互相猜疑，因為大家集體行動，專制政權它就面臨一個生存性的威脅，（安插間諜的做法）真是一箭雙雕。

袁　莉：這種做法對於發展反對力量是否是致命性的？

裴敏欣：很致命。我並不是說是最致命，至少是很致命的。

你看中國現在反對力量的發展，看前蘇聯，都沒有大規模的反對組織出現。大規模反對勢力的出現並不是有組織的，比如說是天鵝絨革命，都是人們感到恐怖統治快要結束了，大家全出來了。

但恐怖統治還在進行的時候，大家肯定不敢出來，因為你沒辦法組織。你跟張三講了，張三馬上去報告，國保去了，那

你被請去喝茶，被拘留十五天，或者是判五年刑……這就不可能出現反對組織，這是很有效防止有組織的反對勢力出現的手段。

袁　莉：您在書裡面有兩個例子，我看了覺得特別好。一個八九民運的參與者，叫張林，他出獄了以後，他的同學就來找他了，您還採訪了這些人？

裴敏欣：我是直接採訪過當事人的，像張林。有一個和他關係很好，也是參加過民運的人，在他出獄後就來找他。後來他和張林講，自己是公安局派來監視他的，說張林家裡有竊聽器。

書裡還有另外一個例子，是「八九」之後，有一個學運領袖到了株洲去，當地的警察就盯上他，就是防止他「以商養政」，所以就經常騷擾他，不讓他經商成功。到最後，那個學生運動領袖，居然自告奮勇要給公安局做線人。

袁　莉：不可思議。我想結合前陣子發生的一件事，聽一下您的分析。前陣子推特（Twitter，2023年更名為 X）上的「李老師不是你老師」說國安針對他的一百多萬粉絲建立了一個專案組，有不少粉絲已經被找喝茶了，他有很多的證據

來證實。所以他建議在牆內的粉絲取消關注他，來保護自己。

我有兩個問題，一個是國安真的會動用這麼大力量，來針對一個絕大多數中國人根本看不到的社交媒體帳號嗎？還有一個問題，國安真的會找所有在牆內的李老師的關注者喝茶嗎？這樣會不會對這個制度造成過載？

裴敏欣：對，國安這麼做，肯定是政治局委員，甚至政治局常委有批示。沒有自上而下的批示，不可能動用那麼多警力去做的。

第二，就是它這個名稱叫「專項行動」。一旦是專項行動，那就不得了，是會下指標的。網警通過技術手段，查出誰是李老師的粉絲，根據他們的 IP、手機號，一個個去找。如果中共想要做一件事情，是不惜工本的。不可思議的事情，它絕對能做，因為它需要絕對安全，而不是相對安全。

是不是每個人都去找，這就很難講了。比如一個地方，警察要開車開半天，那他也不願意去，所以警察肯定是去比較容易找的地方。如果要很麻煩才能找到的話，警察也不會去找，但效果已經達到了。

袁　莉：效果是什麼呢？

裴敏欣：效果就是一百多萬關注者裡，二十萬人一下就沒了，下面的人就向公安部報功，專項行動取得初步成就。

袁　莉：這麼做對這個制度會不會造成過載呢？如果大家都不取消關注，就等著警察來請喝茶？

裴敏欣：這是一個很好的問題。其實只要大家都怕，這個制度就成功了；大家都不害怕，那個制度就完蛋了。它不可能把一百萬人全都關去喝茶啊，它沒那一百萬警察，如果所有警察都來請你喝茶，其他犯罪都沒人管了。

一旦制度垮台的時候，就是恐懼消失了，恐懼消失的時候，就是這個制度垮台的時候。柏林牆 1989 年 11 月 9 日倒塌，當時斯塔西還是有十萬人左右，警察都還在那裡，為什麼一夜之間柏林牆就倒了？害怕沒了！

如果是一百萬人上街，不可能機關槍都把人給打死吧？在現在這個時候，恐怖還是有效的，但肯定到了某個時候，恐怖就慢慢會失效。

袁　莉：您在書裡面還寫說，在獨裁政權中，民主化不太可能發生在現代化成功的國家，而更可能發生在現代化失敗的國家。就中國而言，經濟上的失敗而不是成功，更可能是未來民主過渡的前兆。

那中國現在經濟低迷不振，究竟每年它得要花多少錢才能維持這麼大的一個國安，包括線人的體系？經濟不好的話，會對龐大的國家安全網絡造成什麼樣的影響？

裴敏欣：肯定有負面影響。我們要知道，過去維穩相對成功，是因為當時經濟是可以的，比現在不知道好多少倍了。中國這個監控體系，它的正規軍很少，在經濟低迷的情況下，是否能夠維持那個穩定的局面，是一個很大的問號。再有就是高科技體系也很花錢。

袁　莉：伺服器、算力、人員。

裴敏欣：它都是光纖、高清的攝像頭，你還要派人去查，這個開支是不得了的。還有中國的警力開支、公安開支，85％是地方政府負責，中央政府是不太給錢的。

袁　莉：地方政府現在都沒錢了。

裴敏欣：所以這是一個很大的挑戰。今後中國進入的是一個嶄新的世界，以前能夠有效的監視體系，那今後是否會有效，還是一個很大的未知數。

袁　莉：如果有一天中共倒台的話，會是因為國安系統做得不好嗎？

裴敏欣：絕對不是。

前蘇共倒台，前東德倒台，就是它自己好好地正常運作，最主要還是碰上了一個總體性危機，一旦有了總體性危機，再好的預防鎮壓體系都沒用。因為人們對這個制度喪失信心了，包括你的內部人、政治精英、幫你實施監視的人。最明顯的是警察體系的內部出現問題，因為他們也是人，自己家裡人沒工作，又許許多多平時受冤、受氣的事情，他們對體系也是會產生很大的失望，甚至反感。我想現在中國還沒有到這個地步，但經濟持續壞下去的話，未來中國是否會到這個地步，我想還是有可能的。

袁　莉：您寫這本書想要回答的首要問題是，一個強大的國家監視體系能否使中共的統治長久下去？能說一下您的結論嗎？

裴敏欣：對，我想它肯定有幫助，監視體系還是有一定效用的。但如果完全是要靠監視體系維持，那麼就乾脆變成北韓了，那北韓是最成功的。

監視體系有巨大成本，它使那個社會變得死氣沉沉，大家都不敢動，社會就沒活力了，那經濟也沒活力。政權雖能生存，但那個社會死掉了——這是一種可能性。

最終，中共政權要生存，還是要從歷史眼光來看。後天安門的二十年，[12] 這個政權還是比較務實的，和西方國家保持了相對平穩的關係，對國內也採取了相對開放的態度。如果回到那個程度，我估計（這個政權）的壽命會更長一點，但如果像現在這樣折騰下去，那就很難講了。

袁　莉：您在書的最後討論了用國家暴力來加強統治的做法，我覺得您最後一句話寫得特別好，說中共政權應該知道最重的手，也是最弱的手。

裴敏欣：對。實際上中共統治最巧妙是後天安門時代，手段無所不用，各種各樣，軟的、硬的都有。

12　自 1989 年「天安門事件」之後算起，約為 1992 至 2012 這二十年。

如果把所有人都看成敵人，那你肯定倒楣。那原本不是你的敵人也變成敵人了，用壓制手段是很花錢的。你要那麼多的警察，把許多人都給關起來，國際形象又很差。你動不動說人家是間諜，什麼都是國家秘密，所有的數據都不讓出去，誰還敢跟你做生意？所以這都是在自殘。

袁　莉：最後的問題，中共的國家監視體系在國外手有多長？

裴敏欣：我認為手不長，因為這套系統到了外面水土不服，不可能有那一套組織體系。

第一，它對在國外的人，除了對他們在中國的家人有一定的壓力外，對身處國外的人沒那個壓力。要僱國外的人做線人，成本比較高，要付很多錢。

但在國外，特別是西方國家，反間諜機構、FBI（聯邦調查局）不是吃素的，你在國外動一動，它馬上就會知道。所以那些在美國設立的海外派出所、秘密警察站前段時間就被取締了。

我估計它可能會在民運圈子中打入一些，但是搞那種全面大

規模的監控，沒可能且沒必要。共產黨一點也不笨，它雖然投資過度，因為政治猜疑是沒有限度的；但它做什麼事情都想得很巧妙，都還是有重點的。

專訪吳國光：
「二十大」後的政治秩序和反抗的可能性

吳國光是一位曾在中共中央體制內工作的政治學者。1977 年他考入北大中文系新聞專業，後來進入《人民日報》評論部。1986 年，他被借調到中共中央政治體制改革研討小組辦公室，參與中共「十三大」前後政治改革政策的研究與制定，小組組長是時任國務院總理趙紫陽。1989 年春，吳國光赴美進修，「六四」後留在美國，1995 年獲得普林斯頓大學（Princeton University）政治學博士，曾在香港中文大學和加拿大維多利亞大學（University of Victoria）任教，致力研究中國政治轉型、全球化等議題，2022 年任史丹佛大學（Stanford University）中國經濟與制度中心高級研究員。他的著作有《權力的劇場：中共黨代會的制度運作》（2015 年）、《反民主的全球化——資本主義全球勝利之後的政治經濟學》（2017 年）等。

中共「二十大」後，習近平的權力達到了巔峰——在二十屆中央政治局委員和政治局常委中，所謂的「團派」和「江派」全部出局，清一色換上習所信任的班底。吳國光在兩次與「不明白播客」的訪談中解釋：領導層大換血後，會如何影響中國未來的政策走向？又會對普通人的生活產生什麼樣的影響？在數字極權時代，還存在發生劇變的可能嗎？日常生活中，普通人又能如何對抗極權？

極權時代反抗的可能性

節目播出時間： 2022 年 10 月 15 日

訪談要點：

◆ 中國愈來愈像一個極權國家嗎？

◆ 習近平和毛澤東的異同

◆ 習近平已經掌握了絕對權力嗎？

◆ 中共的組織在過去十年是加強了，還是削弱了？

◆ 在數字極權的時代，還有革命的可能嗎？

◆ 「清零」對中共合法性的影響

◆ 普通人反抗極權的可能性

袁　莉：今天我們希望能與吳國光談一下習近平的權力是否是絕對的，過去十年中共的組織是加強了還是削弱了，中國會不會愈來愈像朝鮮（北韓），以及在政府監控無孔不入的年代，被壓制的個體可以做哪些抵抗。我要問的第一個問題是，您覺得「二十大」後中國會變得愈來愈像朝鮮嗎？

吳國光：我覺得中國比朝鮮控制得更嚴厲，就像疫情過程當中黨對社會的整個控制。第一，他有很多東西做得比朝鮮還要過，對整個社會、對整個民眾的控制，可能更嚴厲；第二，就是在精英政治層面，可能還會進一步向這個方向去推進。

我對中國毛澤東時代後幾十年的變革有一個宏觀的看法和一個基本的判斷。我在二十年前，大約是 2002 年，就開始講中國改革的終結。我認為中國 2001 年加入世界貿易組織（WTO），標誌中國經濟改革的終結。當時很多朋友都跟我辯論，有中國的自由派的朋友，也有外國的研究中國問題的專家，他們都說經濟改革完了還可以搞政治改革，我說政治改革這個東西中共是不會做的。

我自己親身經歷了中國的政治改革的嘗試，在 1980 年代末期那種情況下，當時中國領導層進行政治改革的誠意，至少主持政治改革的趙紫陽的誠意是十足的。但我們看到這個東

西完全推不動，更不要講以後在政治改革方面，這些措施又被反攻倒算。所以可以講，從那個時候開始，我對中共搞政治改革已經完全不抱任何的幻想。那麼既然經濟改革已經完成了——我說這個「完成」，並不是說做得非常好，只是說他想做的東西都做了，然後政治改革根本不會搞，那麼改革還要改什麼東西呢？所以我就講，在 2001 年中國的改革就終結了。

終結以後呢？胡錦濤時期是講「不折騰」。那麼「不折騰」就是進一步的改革也不會做了，大體上就是吃已經進行的經濟改革的紅利，這樣又維持那麼一些年。等習近平上來以後，在 2012 年、2013 年，很多人看他在十八屆三中全會成立了全面深化改革委員會，認為習近平可能要大刀闊斧地進行改革了。我想這個判斷呢，完全是沒有吃透中共的邏輯。顯然習近平上台以來所做的事情就是要 contain——翻譯成中文就是「圍堵」、「包圍」、「限制」等——就是要用 contain 的方式，把 1970 年代末期開始的、中國經濟市場化所帶來的潛在的社會政治方面對中共政權的衝擊和挑戰，給大大壓制住，乃至說把它們完全扼殺掉。

自從中國開始搞市場化的改革（以來），中共一直是擔心這個東西。但過去中國相對落後，所以不得不藉助市場化，藉

助擁抱全球化來推動中國經濟的發展。那麼這就在一定程度上必須容忍市場化所帶來的政治生活和社會生活──更不要講經濟生活，在一定程度（上的）多元化。但同時，從鄧小平到江澤民、胡錦濤，對市場化的政治和社會效應都是高度警惕的。到了習近平，他已經覺得藉助市場化來幫助中國經濟發展的這個使命基本上達成了，按照他的判斷，就是「東升」[13] 了。什麼是「東升」呢？就是中國的國力已經上升到非常高的一個高度了。在這種情況下，他就開始要全力的打壓市場化所帶來的社會的、文化的，特別是政治的影響。這個意義上，我想他走回頭路這一點，實際上我覺得是完全可以預判的。我在 2018 年 3 月，也就是習近平修憲之後，曾經在東京開的研討會上講過一次，題目叫 *Kicking Off: the Reverse Translation towards a Newer Totalitarianism*（「開局：向新極權主義的反向轉型」）。

袁　莉：確實是。現在有人說中國在習近平治下愈來愈像一個極權國家，至少是在通往極權的路上。您當時那篇文章是什麼樣的觀點？

13　2021 年 1 月，習近平提出「東升西降」的政治概念，認為代表東方文明的中國已經崛起，而以美國為代表的西方文明則在衰落。

吳國光：中國不是像一個極權國家，它是一個極權國家。中國，不是說在通往極權的路上，而是它在很多方面已經達到了可能歷史上極權主義尚未達到的高度。我們看到在毛澤東之後，基本上就是講中國的經濟要發展，聚焦於政治和經濟，社會生活很多方面就不再去規範了，也不再要求每一個人都要信奉共產主義這套東西。中共的中心目標也就變成了中期目標和短期目標，鄧小平也把這些目標提出來了，就是建成小康社會，這個和共產主義就不一樣了。

自從習上台以後，他致力於建立一套意識形態體系。他搞了那麼多的黨校也好、研究機構也好，乃至一般的大學裡那些馬克思主義、中國特色社會主義——然後現在就是赤裸裸的習近平思想的研究中心了。這個東西就是要致力於進行官方的闡述，同時也要求黨員、體制內的人去信奉這套東西。不僅是共產黨要學習「學習強國」，中國大學裡也開設「習概」這個課程了。過去有「毛概」，就是毛澤東思想概論，現在就是習近平思想概論了。

文革當中經歷的很多做法又出現了。毛澤東意識形態最重要的標誌就是「小紅書」嘛，《毛澤東語錄》，人手一冊。2018 年的時候，我判斷在未來的五年，是不是官方也要出一個標準版本的《習主席語錄》了？這一點上習近平的推進

還沒那麼快，各種山寨版本的「習語錄」還沒有統一成一個官方版本。那麼如果在未來的五年中推出了一個《習主席語錄》的話，我覺得大家不需要驚訝。實際上，截至今年（2022 年）夏天為止，習近平也已經出四卷《習近平談治國理政》了。毛澤東選集標準版本是四卷，在華國鋒初期出了第五卷，但這一卷已經被官方放棄了。[14] 你說他是共產黨人，他這個帝王思想啊、等級意識啊，強到了讓你覺得可笑的地步。毛出了四卷，那麼鄧小平呢？只出三卷。《鄧小平文選》只有三卷，《江澤民文選》三卷，《胡錦濤文選》三卷。現在《習近平談治國理政》出到了第四卷，這個也是一個小花絮，可以看到習非要和毛比肩的了，就回到了這個極權主義。

袁　莉：習近平有毛澤東這樣的個人魅力（charisma）嗎？他有這樣子的權威嗎？

吳國光：我想是沒有。毛和習的權力的根本，都是掌握強制權力、暴力機器，掌握解放軍。毛主要是掌握解放軍。當時公安系統，他只是掌握一部分，周恩來掌握很大一部分；情

14　是由於該卷與《關於建國以來黨的若干歷史問題的決議》和當時實行的改革開放政策不符。

報呢，毛掌握一部分，周恩來掌握很大一部分。但鄧小平也主要是掌握的軍隊；公安和情報呢，他也和陳雲平分秋色。那習近平現在就是完全掌握軍警特所有的暴力機器，他的力量就是完全靠這個東西。

但您剛才講的很對，就是毛至少在他的同志當中、在中國共產黨的黨員，包括高級領導人當中，他有所謂的個人魅力，就是 charisma 這個東西。在一般的民眾當中，通過多年的宣傳，他也塑造了一種個人魅力。今天在中國覺得習近平有個人魅力的人，能不能超過五個？我不知道。至少在中國共產黨的幹部當中，有多少人會覺得習近平有個人魅力？我覺得這恐怕是很少的一個數字。但是我們沒法知道，你就是做一個民調的話，他也不會告訴你真話。

再一個就是意識形態的權力。毛澤東，有意識形態的權力；習近平，現在努力地在塑造意識形態的權力。但實際上，習近平的意識形態有多大的說服力，有多大的感召力？我講的不是對一般人，是對中國共產黨那些幹部、黨員，習的意識形態感召力是很弱的。

袁　莉：那您剛才說的，習近平對軍警特的管控比毛甚至可能還強。那可不可以說他現在對權力的管控是絕對的？

「二十大」以後，他的權力還會有邊界嗎？

吳國光：我想沒有什麼事情是絕對的。習近平今天的權力，絕對不是絕對的。

有沒有邊界呢？我想你講的可能是制約他的因素，或者說是有他做不到的地方。那我肯定是有邊界，而且很多。

我想到的第一個，就是習近平個人的能力和個人精力。你這麼大的權力，面對這麼大的一個黨，這麼大的一個統治機器，這麼大的一個國家，而且面對這樣一個全球化的、複雜多變的這麼一個世界，我相信習近平就算是一個神人下凡也不行。從他迄今為止六十多年的表現來看，「神的本質」好像還沒有表現出來。能力呢，我看不管中共吹得怎麼樣，看起來他是對付不了這麼多的事情；精力呢，把他十年前上台時候照片和他現在的照片找出來看一看，你也可以感受到他是多麼的殫精竭慮了。那麼在未來，他還會更老，他的精力會降低。我作為一個老人，很清楚知道年齡對精力的挑戰。所以第一呢，就是他個人能力、體力、精力這方面的挑戰，使得他不可能管控到極致，即使名義上拿到這麼多權力，不可能實際管控到這麼多。這是第一個幾乎是不可能超越的邊界。

第二，當然就是說每一個專制者都不可能自己做所有的事情，哪怕把所有的權力都掌握在手裡，但是你要治理一個國家，你要管控一個政權體系，那你一定要把這個權力委託給別人去做。那麼愈是大的組織體系呢，委託的層次就愈多。你把權力放給別人去做呢，這個邊界就來了。第一，你對他們的信任程度如何？你的同僚、你的下屬權力大了，你就害怕；權力不大，他就做不了他要做的事情，就完成不了你交給他的任務。

從我這十年的觀察，習近平是一個高度多疑的政治領導人。他對哪怕是自己提拔上來的人，我感覺信任程度也很低。例如在第一個五年任期，他和王岐山之間看起來合作無間；所謂「習王體制」，也是當初他們能夠迅速集中權力的一個重要因素，因為它通過「習王聯盟」開展了強有力的反腐敗運動。但是接下來呢，怎麼樣呢？[15] 所以我想這是第二個（因素），權力的 delegation（委派），就是你放權給別人，你又不信任別人，那麼權力的邊界就被這個東西限制住了。

第三，就是整個官僚體系。可以這麼講：愈是集權，愈是效

15　王岐山在 2017 年中共「十九大」後卸任中紀委書記，在 2023 年十四屆全國人大一次會議後卸任國家副主席。

率低。這實際上是人類歷史上集權面臨的一個怪圈。這個「集權」講的是權力的集中，不是剛才講的極權主義；這個集中權力，講的是權力運行。

集權體系遇到兩個問題。第一個問題就是自下而上的信息渠道的問題，那你上面權力這麼大，下面不敢講任何你可能不喜歡的信息，不敢反映真實情況。那麼這會造成高層的決策力的下降。習近平聽不到真實情況的話，就不可能做出聰明的決策；你的權力愈大，你做出的這樣一個決策，就可能帶來愈嚴重的後果。其實我們看到普京（Putin，普丁），愈到他的權力後期，就愈會做出愚蠢的決策。

那麼第二個層面，就是自上而下的一個政策的貫徹。就是你推一推，才能動一動，因為底下不敢主動，主動了可能會犯錯誤，可能會受到你的懲罰。前一個方面是講決策能力下降，後一個方面講的是政策的貫徹能力下降。決策能力也下降，貫徹能力也下降，那權力再大，還能做什麼呢？你做不了什麼事情。而且在中國呢，有一種情況是官僚們「躺平」，不願意主動做事情；那麼再一種就是加碼，就是投你所好，你說一他做二，你說二他做五。實際上的這個事情，我們都知道很多時候都是過猶不及的。

袁 莉：過去十年，中國的民間組織和社會力量都受到了重創。相比之下，中共自己的組織在這十年算是加強了，還是削弱了？

吳國光：這是一個很好的問題。我的判斷呢，就是中共自己的組織體系的政治控制的能力加強了，黨對整個社會的控制力也加強了。中國共產黨的特點就是它是一個壟斷政權的黨，那麼可以講它的壟斷能力加強了，這是一個層面。另外一個層面，就是它的治理功能削弱了。

經濟的表現，這我們已經看到了。這次的防疫呢，是極權主義發展到罕見的一個程度。我們剛才講到極權主義，我只講了它在意識形態上的特徵，但它還有其他特徵，就是對社會的控制。實際上呢，我們看到「毛時代」是經典的中國極權主義控制。他控制媒體，控制武裝力量和經濟，社會控制當然也很嚴密，以至於連李克強都還記得這個事情。他有一次就講，那時候連出門要個飯都還要大隊黨支部開介紹信。這是真的，因為李克強插隊所在的那個鳳陽縣，是中國有名的出門要飯的這麼一個縣。但是那時候要飯，如果沒有大隊黨支部給你開一個介紹信，那也會把你作為「盲流」（盲目流動人員）給拘留起來。那個時候對普通人生活的控制可以說是無孔不入。

但即使是那樣的控制，也難以像今天這樣的白衛兵[16]極權主義，到買菜、買飯都要給你控制起來的程度。那時候是控制到讓你買不到，現在是根本就不讓你買。那時候農民下地肯定不需要一個證件，更不用講老人病了要去醫院，現在控制了你、不讓你去。在這個意義上，通過這次防疫，中共把新極權主義推到了一個極致。

袁　莉：對。您曾經在 2012 年發表的一篇文章中寫到過，中國目前局勢的要害和未來發展的方向，既不是危機可以逼出改革，更不是改革與革命賽跑，而是當局在難以回頭地製造革命，而改革只能等待革命為它開道。我要問的就是，這三年疫情，特別是今年（2022 年）這種嚴苛的「清零」運動，讓很多人生活受到了非常大的影響，就是無休止的核酸啊，有很多人沒有工作、沒有收入，也看不到恢復正常生活的希望。但是即使這樣，實質性的反抗還是非常少，大多數人還是選擇逆來順受，因為反抗的代價實在是太高了。當然還有這個強大的洗腦機器，讓很多人覺得「清零」是很有必要的。我不知道您還堅持您當年的看法嗎？就是當局是在難以回頭地製造革命嗎？在這個大數據全方位監控的年代，還有革命

16　「白衛兵」，在此是指 COVID-19 疫情期間，在中國身穿白色防護服、執行各種嚴苛防疫政策的人士。

的可能嗎？

吳國光：2012 年那篇文章，是因為來和我聊天的人預設了一個情況：當時在中國自由知識界也好，比較開明的幹部圈也好，都在討論改革和革命這兩個選擇。

因為對方是在這個框架中問問題，所以我就講了我的那些想法。我認為 2001 年中國的改革已經死掉，不再存在改革這一個選擇，那麼革命這個選擇顯然是一個非常難的選擇。如果我當時講了當局在製造革命，那麼實際上我想這只是講，當局是不斷地在激化社會矛盾。社會矛盾激化以後，是不是就一定會發生革命？當然我們知道，第一，革命的發生需要很多別的條件；第二，就是從現實來看，特別是在信息技術手段如此發達的今天，在中國這樣一個國家政權掌握了各種各樣的高壓手段的情況下，很難發生革命。

這裡再回到剛才講的極權主義。極權主義其中一個特徵就是完全控制軍隊和武器。2018 年我為什麼覺得就已經回到極權主義了呢？因為那個時候買菜刀都需要證明了，這個在毛的時代不至於這樣的。連菜刀也會看作是武器，那麼國家政權對於武器的控制已經深入到每個家庭的廚房。當然，我想這些也表明了當局深知民眾是存在高度不滿的，因此要加強

各種各樣的控制，把革命的萌芽扼殺在最初的狀態之中。

但實際上，前幾天我在一個訪談中，表達了魯迅先生以前多次講過的「哀其不幸，怒其不爭」的這種情緒，現在我在網上被很多人罵。

罵我呢，就是說「你（也）不在抗爭啊！」實際上疫情中幾百個、上千個的人被集中到一個廣場上，甚至是半夜三更，凌晨五點、凌晨三點在那裡排著隊，等做核酸。1989 年以來，共產黨是最怕老百姓，哪怕是幾十個人、幾百個人集合到一起的；現在它不怕把你幾百個人、幾千個人搞到一起去。坦白地講，我講這個話的時候想，如果真的是中共當局聽到了，他會想；我是真的害怕這個東西。因此，他曾改一改讓你做核酸的方式，不讓你幾百個、幾千個在那兒等，而是幾十個人分批來做。中國的老百姓是要少受點苦。我覺得我如果講了這句話真起作用，其實我的用意是在這。

不可能幾百個人現在就「轟」一下鬧起來，但是如果幾百個人當時能夠對做核酸的具體方式有所反抗，（是可能成功的）。我沒有說你起來推翻政權，沒有說你起來推翻共產黨，就是講，這個核酸可不可以不這麼做？可以讓我們每二十個人一組來做，是吧？現在都有手機，你完全可以通過手機的系統，輪到那二十個人了再通知你（來做），讓人家老人可

以少遭罪吧。

袁　莉：是，但是現在的「清零」讓中國經濟受到了很大的傷害，這樣子對中共執政的合法性，您覺得有影響嗎？

吳國光：毛的時代三年大饑荒，中國餓死上千萬的人。那麼毛除了在黨內遇到一定程度的挑戰以外，他在社會層面也遭到了一些反抗。這些反抗當時很難有報導。後來有一些研究人員，發掘了一些這樣的資料，非常寶貴。包括一些農村的基層幹部放糧給農民，這種例子是有的。但是總體來講，毛的所謂威望在那以後沒有下降多少。特別是到了文革的時候，毛通過各種各樣的手段，把他的威望提高到非常高的地步。當然，整個毛的制度給中國人帶來太多的災難了。當毛死了以後，大家首先說要解決的就是餓肚子的問題。農民們自發地搞了「包產到戶」等等（改變之後），經濟的發展才提上中國的議事日程的中心地位。我想經過了七十年代末，一直到最近，中國經濟已經迅速地發展成世界第二大經濟體。那麼中國呢，應該說在經濟上攢了一些家底。這很可能給習近平帶來了新的、折騰老百姓的底氣。我覺得中國制度的弔詭之處和可悲之處就在那裡。

中國的經濟發展了以後，當然中國的老百姓得到了好處；但

是從中得到最大好處的是中國共產黨的那些官僚們，是中國共產黨作為整個政權，它在未來──其實在最近幾年裡（就是這樣了）──折騰中國人的底氣，它有了這個資本。

所以我覺得，習近平的思維方式可能就是：「毛時代」把你們搞得餓死幾千萬人，你們都造不了反，共產黨都可以穩如泰山，毛澤東都可以被你們（認為是）比親爹親娘還親；現在，你們有房子住，有汽車開，有飯吃，那麼我再折騰你們十年，再折騰你們二十年（應該也行）。開始折騰（的時候）你們不樂意，覺得我原來過好日子，現在過不上了，那麼折騰你們二十年你們就習慣了，折騰你們三十年，你們就開始高呼萬歲了。因為呢，那時候三十歲的人，完全是在習近平時代誕生的，受的教育都是習近平這一套。那麼可能二十年以後，那（些人）覺得習近平是簡直是了不起的偉大領袖了。

我覺得如果一個專制者，特別是參考毛的這樣一個經驗的話，他有這個思維也不奇怪。所以在這個意義上，我不覺得「二十大」以後，習近平會把解決經濟發展作為一個非常重要的任務來處理。我覺得他可能面臨的，是要在一定程度上保持中國經濟的一種發展，這樣中國共產黨政權也能從中得到更多的財政資源。另外一方面就是加強社會控制，包括打擊民營企業，包括削減中國和世界經濟的相互聯繫。這些因

素呢，都是不利於中國經濟發展的。那麼，一定程度上促使中國經濟發展，與採取那些不利於中國經濟發展、但是有利於他的政治控制、壟斷政權的措施，這兩者之間的平衡可能是他更關心的。

袁　莉：嗯。但是就像您前面說的，習近平沒有毛澤東那樣的個人魅力或者威望，而且現在即便是在微博上，我們都可以看到許多對習近平個人的直接或者間接的批評，雖然需要非常非常的隱晦。您真的覺得習近平還能像「毛時代」那麼有底氣嗎？還是他過於自信了呢？

吳國光：我想，我總是願意重複一句話，就是：哪怕習近平的權力是全世界一個人一個人數下來最大的——那麼在中國當然就更不用講了，他是最大的——但是並不表示習近平可以為所欲為。中國共產黨領導層、精英層、幹部階層裡邊，如果你不喜歡他的作為，你應該通過各種方式去表達。中國的民眾，如果你不喜歡，雖然很難直接表達，但是呢，你完全可以採取各種各樣的辦法（反抗）。

在我們政治學研究裡面有一個經典的研究，叫做《弱者的武器：農民反抗的日常形式》（*Weapons of the Weak*）。這個政治學家叫 James Scott，他是研究東南亞的農民如何表達他

們的不滿。這個不滿呢，不是像西方研究社會運動、研究政治運動的這些人看到的採取街頭行動、抗議等等；東南亞農民很可能就是出工不出力啊，做事拖拖拉拉呀，（做）這樣一些事。研究者給它起了一個名字叫「日常的反抗」，這個研究在政治學裡，現在已經是一個經典的研究了。

其實，我們在中國也能觀察到這種日常的反抗，是到處都存在的。但是我這裡要講的，就是說你要有意識地去進行日常的反抗，那就不一樣，是吧？今天「潤學」[17]也好，「躺平學」也好，這些東西也都可以看作是日常反抗的一種。因為我說「你都不反抗啊」，那麼很多人就說，「你鼓動中國老百姓去流血」。我知道這樣是故意要污名化我講的這個東西。實際上，「潤」，「躺平」，都是反抗的一種。當然有人講，「我們就是最後一代了，我也不再生孩子了，韭菜到我這兒就割完了」，這當然也是非常激烈的一種反抗，非常悲愴的一種反抗。

政治這個東西，社會的這個東西，它是多種因素互動而成的。所以，當我講這個話的時候，其實我的用意可能是在別

---

17 潤學，是指研究離開中國、移民到國外的方法；「潤」這一流行用語的起因，是因該字的漢語拼音與英文 run（逃跑）相同。

的地方。因為這個話出來以後會產生互動，可能會形成另外一種效應。那麼我們觀察中國的時候，也是如此。你習近平想怎麼樣，可能在相當大的程度你做到了；但是我剛才講的，你在集權的方面已經做到了，但是你集中權力以後，你想行使你的權力，想做你的事情，而且想讓中國完全按照你的意願來塑造，甚至讓整個世界按照你的意願來塑造，那這個不是你能決定的。除非中國人完全都是泥巴捏的，習近平想怎麼捏就怎麼捏。但凡不是這樣，哪怕有「潤」這種反抗，哪怕有「躺平」這種反抗，甚至有「最後一代」這種反抗——如果中國人都有「最後一代」這樣一種絕望的反抗，我覺得，中國的前景就有希望。

我老是喜歡用魯迅先生的這個話，就是他講虛妄和希望：「絕望之為虛妄，正與希望相同。」我可能講得不準確，但意思就是說，實際上當所有人都感覺到沒有希望的時候，那希望就出現了。我覺得呢，中國現在的問題就是總有一些虛假的希望。十年以前，就是我講那個文章〈十年一覺中國夢〉，寄希望於習近平；然後十年以後，寄希望於李克強，寄希望於胡春華，寄希望於汪洋，寄希望於……

袁　莉：還有宋平。

吳國光：對，宋平。我講了這個 105 歲老人家以後，為這個罵我的人也很多。

袁　莉：中國人中，我認識的這些做企業的，商業精英、文化精英、知識精英，更不要說底層的老百姓了，實際上大家現在普遍來說就是一種絕望和無力感，這可能是最最能描繪他們現在的心境的。大概是覺得沒有辦法，沒什麼可以做的。怎麼做能夠讓這些人有一點點希望？

吳國光：實際上呢，人生在本質上來講，在本體論上是無力的。人這麼渺小，物理世界這麼巨大，是吧？光是你面對的一個社會，不要說中國這麼大，就你在一個工作單位裡，哪怕幾十個人，這個單位的力量之大，你也是沒辦法抗衡的。在這個意義上，當然就是很無力的。

但是我想，其實人的宿命就是你不可能完全接受這個東西。你完全接受這個東西的話，你不會上學，你也不會天天還要吃飯，你可能就自殺了嘛。我是大約在高中一年級的時候開始思考自殺這個問題，想透了以後我就不再有這個困惑。為什麼？我就說，我過去的生命是父母強加給我的。那麼我思考完了以後，到底是應該活下去、還是不應該活下去，我想那以後生命就由我自己掌握了。我上高中的時候，1972 年，

那個時候毛的力量不得了啊，但是我不反毛，我也不會懷疑毛主席，但是呢，我就知道我生活中沒有希望了。我的中學周圍全都是莊稼地，連院牆都沒有。我的老師最好的學歷就是高中畢業，他們來教我這個高中生。周圍的農民窮成那個樣子。我那時候沒有任何政治意識，也不反對共產黨，也不反對毛澤東，但是我就覺得生活完全沒有希望哪。

那你想過以後，既然活著了，就會想著我如果自殺了，我父母會很痛苦，我幹嘛給人帶來這些痛苦呢？那還不如活下去，克服自己這些痛苦吧。實際上，一個人的反抗就從這開始的。我們會說，我不願意接受命運給我的這種安排，我不願意接受，哪怕本質上人是無力的。其實我也看到今天中國的年輕人做了很多很多事情，有助於這個民族往好的方向發展，我看著很多。當然呢，可能做的方式不一樣。有人去參與，比如說環保活動，有人在網上聲援雨傘運動[18]，大家在網上發聲譴責鐵鏈女[19]這種事件。每發出這樣一個聲音，都是我們在為改變我們自己的命運貢獻一份力量。

18　雨傘運動，是 2014 年發生於香港、以「爭取真普選」為目標而衍生出來的公民抗命運動。2014 年 9 月 28 日，警察對示威者施放了 87 枚催淚彈，示威者以雨傘作為抵禦，運動由此得名。

19　鐵鏈女事件，又稱「豐縣生育八孩女子事件」。2022 年初，中國豐縣一名女子長期被鐵鏈拴住、並被迫生育八個孩子的事件曝光。事件涉及人口拐賣與虐待，在各界關注與譴責中，案件得以推進調查與審判。

「二十大」後的政治秩序與中國未來走向

節目播出時間：2022 年 10 月 23 日

訪談要點：

◆ 分析中共「二十大」的政治局常委名單

◆ 「二十大」後，江派、團派勢力完全不存在了嗎？

◆ 政治局和政治局常委人選，如何影響未來的政策走向？

◆ 領導層大換血，如何影響普通人的生活？

◆ 分析胡錦濤「二十大」離場事件

◆ 如果中國經濟持續低迷，可能面臨什麼樣的政治後果？

袁　莉：中共「二十大」閉幕，公佈了新一屆中央政治局委員和政治局常委人選，所謂的改革派幾乎全部出局，新入局的幾乎是清一色習家軍。今天我們還是請吳國光老師來談一談他對「二十大」結局的分析。吳老師曾經在中國的權力中心工作，參與過中共「十三大」前後政治改革政策的研究與制定。

我們之前討論過，「二十大」的人事安排可能有兩種版本，溫和版和極端版。您覺得這個版本算是極端版嗎？

吳國光：這次人事安排應該完全是由習近平主導，應該是一個極端版。

如果說有什麼驚奇，我對這次會議的開法有一點驚奇。以前，中共代表大會在黨魁做了報告以後，現任領導人參與各個代表團討論，雖然也都是馬屁，但至少有這樣一些報導，而這次基本上沒有這樣的報導，只有習近平參加廣西代表團討論的報導，然後其他類似的報導就都沒有了。這次中共黨代會和以前相比，變得更加的不透明，這預示著今後中國政治的不透明程度會愈來愈增加。這把八十年代中期以來，將近四十年的黨代會的開法都改變了。

從人事安排來講，為什麼我沒有很大震驚呢？如果理解習近平上一次組織「十九大」班子的做法，就可以預測他的邏輯。上一次政治局新進了 15 個人，其中至少十個人是習近平的親信。另外五個，有兩個是拍馬屁拍得最響的：一個是李鴻忠（「忠誠不絕對，就是絕對不忠誠」的發明者，十四屆全國人大常委會排名第一的副委員長），另一個是陳全國（原新疆維吾爾自治區黨委書記，以「鐵腕治疆」聞名）。五年前我分析歷屆中共全國代表大會，包括毛的高峰時期，都沒有達到這個程度，領導人的親信都不可能在新進的政治局委員當中佔到三分之二的多數。上一次有好幾位（政治局委員），不到年齡就被逼退了，包括李源潮（原國家副主席）、劉奇葆（原中宣部部長）、張春賢（原中央新疆維吾爾自治區黨委書記、全國人大副委員長）。習近平大致的手法就是如此，上一次焦點是掌控政治局，這一次的焦點就是掌控政治局常委會。掌控政治局常委會的手法，如果不講反腐那些手段，就是在會上把不到年齡的逼退，位子騰出來後把自己的親信拉上去。

所以中央政治局常委的新名單，李克強和汪洋出局，我並不意外。李強當總理，我也一點不意外。但完全打破年齡限制，是讓我比較震驚的，尤其是 72 歲的張又俠留任，69 歲的王毅留任。過去中共有「七上八下」的規矩（即 67 歲為履任

政治局委員的年齡上限，若換屆時已滿 68 歲，則需退休），現在恐怕是完全打破了。

從政治上來說，這次習近平主要是針對團派，團派大敗，而且令我驚奇的是，中央政治局委員的名單裡看到胡春華了嗎？沒有。胡春華 1963 年出生（2022 年「二十大」時為 59 週歲），現在就完全出局了。習近平做事情很絕，團派的一根小小的細根兒也沒給留下。

袁　莉：「二十大」基本上算中共的政治精英群體一次大換血，那些被換下來的人，他們會面臨什麼？

吳國光：被換下來的人已經不重要了，胡春華有可能還會被安排一個位置。[20] 這個我們是從常規、與人為善、照顧面子的角度去推測。但是習近平呢，可能不會遵循常規，也可能不講情面。換下來的人，無論滿意還是不滿意，在位的時候不滿意都表達不出來，下來以後即使再不滿意，又能怎麼樣呢？而且如果不滿意的話，習近平可能還收拾你呢。所以我想下來的人就已經出局了，不重要了。

20　胡春華後在 2023 年 3 月當選全國政協副主席，排位第二。

袁　莉：那所謂的江派、團派，這些勢力就完全不存在了？

吳國光：剛才《紐約時報》駐北京記者給我打電話，就問這個派系問題，問是不是新的派系就會出現了？我說你的問題提得很對。過去呢，有江派、習派、團派等等。現在呢，團派已經全軍覆沒，江派可能還有一點苟延殘喘的人選，王滬寧也好、丁薛祥也好，都有相當多上海的成長經歷，和江澤民的人有非常深的聯繫，但是也沒法再稱他們為江派了，現在習近平一手遮天、一人獨大。

但是，在習近平下面，一定會出現新的不同派系網絡。習近平不可能一個人把所有事情都做了，他要用各種各樣的人。進來這麼多新常委、新委員，各有各的成長的經歷、人際關係網、以及他們自己重用的人，所以他們到了一定的權力地位後，就會形成所謂派系。

其實習近平已經在新的領導班子中採取了新的派系平衡。李強要當總理了，丁薛祥要當常務副總理了，何立峰已經進入了政治局，要取代劉鶴過去在國務院的角色。這三個人，李強來自浙江，丁薛祥來自上海，何立峰來自福建——是習近平在福建時候的老朋友。你會看到，哪怕在國務院，哪怕他最信任的人都被提到了政治局常委會這個層面，把聽他話的

李強放到總理的位置了，他還是要用不同派系來相互制衡。這樣他可以把權力放給李強，但憑藉丁薛祥和何立峰的牽制，習近平不會怕李強的權力大到威脅到自己，習近平的帝王術玩得相當純熟。當然，不同派系還是會自然而然成長起來，習近平也會利用派系來牽制他的手下，不至於使某一派獨大。

隨著習近平在任的時間愈長，新派系的相互競爭也會愈來愈激烈，因為他們要為習近平（卸任）之後建立自己的政治優勢。所以派系政治上，舊的派系消失了，新的派系馬上就出現了。中共內部團團夥夥、拉幫結派，這些山頭是不可能消除的。實際上，當習近平以搞團團夥夥為名整肅別人的時候，他自己就是最大的團團夥夥（的首腦）；他手下的人，也不得不去拉團團夥夥，這就是中國政治的一個常態。

袁　莉：您剛才談到張又俠 72 歲還留任了，您能從政治局和政治局常委的人選看出，未來的政策走向是怎樣的嗎？

吳國光：軍隊裡，張又俠以 72 歲高齡留任。首先，張又俠是在習近平在軍隊中特別倚重的人。張又俠在習近平上台以前只是一個一般的高級將領，但是一下就被提拔到軍委副主席；第二，張又俠和習近平是世交，張又俠的父親張宗遜，

是中共的開國上將，在戰爭年代和習仲勳是搭幫的，張宗遜當司令，習仲勳當政委，他們倆在一起共事了很多年。所以張又俠對習近平的忠誠度是非常高的。張又俠經歷過 1979 年對越戰爭，據說也是目前解放軍最高級將領裡唯一一個經歷過越戰的，所以習近平可以以有戰爭經歷為由頭，把張又俠留下來。

軍委副主席何衛東，是這次政治局組成中最大的黑馬。他也和習近平關係匪淺，何衛東負責的東部戰區，就是對台灣的前線戰區。可以看出，習近平這次在軍委，是要用所謂的「知戰派」——我不想用「善戰派」，你知道他善不善戰嗎？也許也打敗仗呢。這些人是比較瞭解戰爭的，經歷過戰爭、鑽研了軍事技術、戰爭謀略等。還有就是「東南派」，面對台海的這幫人。習近平長期在東南主政，從福建到浙江到上海，和當地的軍事將領關係都非常密切。

我覺得，習近平把台海戰爭推得這麼靠前，實際上是用這個為藉口來抓軍權，來提拔自己在軍隊的人。把這些人提上來以後，是不是真的要用這些人去打台灣呢？我個人的看法，可能不至於這麼快。

第一，烏克蘭戰爭應該給了習近平教訓；第二，我從一個研

究政治的人來看，台海戰爭首先是一場政治戰爭，習近平一定要從戰爭中獲得他所願得到的最大的政治利益。政治利益是什麼呢？他現在已經把中央的高層領導班子完全搞成順手班子了，還要幹什麼呢？就是接班問題。等接班問題擺上習近平政治日程的時候，可能會採取對台軍事冒險政策。習近平應該不願意在完成當下五年任期後下台，應該想繼續第四、第五、甚至第六個任期。接班問題什麼時候浮出水面呢？從習近平個人主觀來講，第四任是最早了，第五任可能就要討論這個問題了。所以我覺得應該不至於像美國官方所講的這樣，在兩三年內會有對台戰爭。習近平把張又俠、何衛東這些人拿到軍委的領導位置上，可以為積極準備對台戰爭提供條件，至於什麼時候開始準備對台戰爭，那就是一個政治判斷了。

袁　莉：目前常委的安排，蔡奇會管意識形態，李強管經濟，您願意談談嗎？

吳國光：先講經濟吧。李強作為總理，二號人物，他到底有多大經濟權力，我覺得不好說。為什麼呢？丁薛祥任常務副總理，何立峰任副總理，取代劉鶴的角色。過去十年，丁薛祥和何立峰每天都跟著習近平。李強這十年，在江蘇、在上海。所以習近平把丁薛祥和何立峰兩人都放到國務院，他已

經心裡在想，「李強，你不要覺得你當了老二、國務院總理，你就有多大的權力了。你看到嗎？我擺了兩個人在你旁邊，你自己明白不明白？」所以我覺得，李強可能在經濟上沒有那麼大權力。這個經濟到底怎麼搞？最近五年的經濟政策已經看得很明顯。

意識形態方面，蔡奇作為中央書記處的第一號書記，肯定會過問意識形態的。現任的中宣部長黃坤明沒有進常委，他一定很失落，但是失落也得好好幹活啊，也不敢得罪習近平。我想他應該會離開中宣部系統。[21] 新的中宣部長，得既進入了政治局，又進入了書記處──我的一個學弟，李書磊，應該是他了。[22] 是不是還有別的人選？在習近平的這個班子裡偏年輕的（其實也都是六十多歲的人了），新華社、中央電視總台、中央黨校的這些人呢，有一些人我認識。我一般是不喜歡罵人的，特別是在公眾場合，但是如果說這些人是馬屁精呢，我想也不算是罵他們。

袁　莉：比如說誰呢？點個名吧！

21　黃坤明在本次訪談播出後五日，即 2022 年 10 月 28 日被調任廣東省委書記。

22　李書磊在本次訪談播出後三日，即 2022 年 10 月 26 日擔任中宣部長。

吳國光：如果習近平知道他們是馬屁精，反而習近平給他加分呢？他們可以到習近平那兒講：你看連外國敵對勢力都說我是你的馬屁精了，顯然我對你很忠心呀。這些人來搞意識形態的話，意識形態控制應該不會有任何一絲放鬆。他們一定是奉君之惡，皇帝想幹什麼壞事，他們一定比他幹得更惡。

習近平會交給他們一個任務，什麼「黨的理論創新能力」。看他們是不是比王滬寧有更大的本事吧，可以把習近平的思想搞得錦上添花。這些人說假話的本領都很大，這不用懷疑。

袁　莉：蔡奇在 2017 年清理北京「低端人口」，[23] 如果他要管意識形態的話，像我們這些人，還有很多獨立思考的中國人，會不會被當作「低端人口」給清理掉，更加無路可走、沒有空間了？

吳國光：就是這樣。

23　2017 年 11 月 18 日，北京大興區西紅門鎮新建二村發生重大火災事故，造成 19 人死亡，8 人受傷。事件過後，北京展開為期 40 天「清理低端人口」行動，驅逐了諸如建築工人、清潔工人、快遞員等外來勞工人口。

袁　莉：我看到網上的一個比較搞笑的說法，說習近平擅長收拾「高端人口」，李強擅長收拾「中端人口」，蔡奇擅長收拾「低端人口」，夢幻組合。吳老師怎麼看？

吳國光：哈哈，他們都善於收拾「異端人口」。

袁　莉：我替現實中的一些朋友問您，很多人表示很鬱悶，他們想知道，「二十大」領導層大換血，對普通人的生活有什麼具體的影響？如果政策走向極端，會不會有一些災難性的事件發生？如果會，您覺得會是什麼？

吳國光：過去的十年，特別是最近五年當中，災難已經不斷發生了。你剛才提到北京驅趕外來人口，尤其是選擇寒冬臘月去趕人；疫情就更不用講了，各地封城，巨大的人道主義災難；河南的水災，當時大家也反響相當強烈；豐縣鐵鏈女、唐山打人事件……在輿論控制如此嚴厲的情況下，我們都知道了這些事。如果新聞能報導的話，我想可能每天每時在不同的地方都在發生這些災難。

在今後一段時間裡，什麼樣的災難都可能發生。上次講到，整個官僚體系控制能力加強了、治理能力削弱了。治理能力削弱後，不用上邊有什麼很惡的政策，下邊官員的無能、蠻

橫、無知，就會釀成各種直接關係到他們治下的老百姓的災難。所以我想今後的中國，很可能是一個災難頻發的中國，這是一個很殘酷的現實。有人說，你現在在國外，講這個話不腰疼。我不是主動到國外的，我是沒有辦法才離開中國的。我還沒有今天「潤」的人覺悟高呢，他們還是主動選擇離開中國的。我在 1980 年代，只是偶然因素到了美國，結果就回不去了。

「清零」政策，有點像 1958 年的「大躍進」，二者都是瘋狂的、失去理性的政策。「大躍進」同時是人民公社運動，一大二公，[24] 既是政府，也是公社，把過去幾千年一盤散沙的農民都組織到中國共產黨所建立的黨政體系當中，後來就發生了大饑荒。中國在未來幾年，大家的經濟收入都會下降，人身自由也會進一步受到限制，你出個門、旅行，已經通過健康碼被政府掌控，大數據極權主義還會進一步發展；如果對官僚體系展開進一步政治清洗，我不會奇怪。這些戲碼，共產黨官員的創造性比你我強多了。他一天到晚就在琢磨怎麼整百姓，他們有的是戲碼，不是我們今天在這裡能夠窮盡的。這個前景也許過於恐怖了一些，但也可能比我猜測

24　一大二公，出自 1958 年 9 月 3 日的《人民日報》社論《高舉人民公社的紅旗前進》，是指人民公社的基本特點：一是大，即公社規模大；二是公，即公社更加社會主義化、集體化。

的要嚴重，我只是想到了幾個可能而已。

袁　莉：我們談談一下「二十大」最戲劇性的一刻，胡錦濤離場。您在推特上寫道，其戲劇性與政治含義可能超越了「九大」上毛澤東表演的那一幕。他們究竟在搞些什麼，您能解釋一下嗎？

吳國光：我在寫黨代會這本書（《權力的劇場：中共黨代會的制度運作》）的時候，看到一些資料，包括一段錄像。毛澤東在九大主席團開會的時候，有兩個場景讓我覺得很有意思。第一個，毛澤東組織會議，讓大家選舉主席團委員，唸完名單，毛澤東就說，同意的舉手，人家舉手了。主席團委員就選出來了，毛澤東就說：「現在請主席團委員上主席台就座」，但實際這些主席團委員已經在主席台坐好了。還沒選，他們都坐好了，因為他們都知道這個選舉本來就是瞎胡鬧的，本來就是走個過場。所以毛澤東轉臉一看，主席台坐得滿滿的，覺得有點尷尬；但是毛澤東和習近平相比，有一個小小的優點，他有點玩世不恭、有點幽默感，他就說：「哎呀，看來同志們都是趕早不趕晚啊！」這個事情就過去了。接下來這一幕，更有意思。接下來要選主席團主席，毛澤東組織會議，他說：「我提議林彪同志當主席好不好？」這下全場都傻了。這時候最緊張的就是林彪，林彪一下子站起來

說：「不好不好，偉大領袖毛主席，當（主席團）主席！」然後對著底下喊：「同志們說好不好啊？」大家都說好，嘩啦啦鼓掌。

我為什麼對這個場景特別有興趣？大家都說，這些黨的官員什麼時候都聽毛主席的話，但這時候怎麼不聽毛主席話呢？毛主席說選林彪同志當主席，他們怎麼不說好？實際上，這些人是有自己判斷力的，他們知道在什麼場合做什麼事情是正確的，所以這時候即使毛澤東說讓林彪當主席，他們也知道毛澤東可能在調戲林彪，可能是在戲弄代表，總而言之，毛澤東玩世不恭給你來這麼一下子。不是代表們政治不忠誠，不同意毛澤東讓林彪當主席，他們都知道毛澤東想要當主席、要有權力。從錄像上看，林彪是最慌張的，他知道毛澤東把他架在火上烤，毛澤東要調戲他、戲弄他。

其實幾乎每一次黨代會上都有一些戲劇性場面，但是過去保密保得更好，沒有那麼多信息傳輸渠道，也沒有那麼多的錄像。比如在延安那次開會，把王明[25]用擔架抬到主席台上，因為代表們說：老讓我們批王明，王明長什麼樣我們都不知

25　王明，中共早期領導人之一。在「延安整風運動」時，以王明為代表的「共產國際派」在中共黨內失勢，而成為被批判的對象。

道，能不能讓我們看一眼？那時候王明已經病了，不能走了，就用擔架把王明抬到主席台，放了幾分鐘，每個代表看一眼王明長什麼樣，有人還說王明長得真清秀。這個很有戲劇性，但是當時沒有錄像。

我看到胡錦濤的錄像，要害是，我們不瞭解到底發生了什麼。當然社交媒體上有各種各樣推測。我對做推測的人沒有任何批評，我也不偏向於任何一種推測。但我對這種看到一分東西，馬上得出一百分結論的斷言，是很不喜歡的，我個人是絕對不會這麼去做任何推測。我只是看到了，那兩個人要架胡錦濤走，胡錦濤在那裡不想走，至少胡錦濤一而再、再而三要坐下，這是我們看到的。我說「胡錦濤不想走」，這是我推測他內心，這可能是有點過分了。但我們也看到了，栗戰書試圖站起來，好像要扶一下胡錦濤，也可能是勸說，都不知道。但是我們看到了王滬寧在後邊拉了栗戰書一把，讓他坐下；我們也看到了胡錦濤離開的時候，給習近平講了一句話，然後拍了一下李克強的肩膀。推特上有人留言說：有人會讀唇語嗎？我還回了一句：研究中國政治的門檻愈來愈高了，前一段時間是相面，現在要讀唇語，再這樣搞下去我肯定沒飯吃了。

這個事情到底是在做什麼，我們不知道，但不管怎麼樣，在

中共黨代會全體大會閉幕這一天發生這一幕，無論如何，所有人都感覺這是不尋常的。前任黨魁被迫這樣離場，無論是善意還是惡意、無論是政治原因還是健康原因，這樣離開會場，習近平也好、李克強也好，最低限度可以說兩句客氣話，或者向會場的代表解釋一下：「胡錦濤同志現在由於健康原因不得不離開會場，我們大家對他表示歡送。」或者你不歡送，解釋這麼一句：「很遺憾胡錦濤同志不能如何如何」，這是人之常情吧。但我們看到這一幕，那些胡錦濤過去重用的人，李克強也好、汪洋也好、胡春華也好，還有很多人都高度緊張地坐在那裡，沒有任何表示同情，沒有任何表示安慰的舉動，都像木頭人、石頭人一樣，呆若木雞地看著那一幕。這次倒是在社交媒體上看到很多對栗戰書的好評，不管他什麼用意，至少表現出了一個人本能的反應，動了一下，想去扶一下胡錦濤。

袁　莉：他還擦了把汗。

吳國光：可以看得出來，會場裡，這些中共最精英的人，都是些什麼人啊？還有人性嗎？還有基本的人情嗎？這是你們自己的前最高黨魁，很多人的政治生涯是在他手裡得到很大好處的。現在你還說對老百姓如何如何，你們這些人還有一點點人味兒嗎？這暴露了中國政治最大的一點，從基本人性

來看，是多麼的可悲。

袁　莉：冷酷到了極點。不管胡錦濤是一個什麼樣的人，但作為基本的人，應該表現出來的一點點起碼的關懷都沒有。

吳國光：作為一個老人，作為一個病人——也許這次不是因為病而離場，但是他身體不好大家都知道——我們不講他是前黨魁，不講各種各樣的利益考慮，我們所有人見到一個陌生的老人，一個病人，我們都會對他表示同情的啊？他如果有動作不方便的話，我們都可能上去扶他一把。

如果還有人對這個黨的領導層抱有各種各樣的自以為是的要求改革、要求民主的幻想，我只能講，你也和他們一樣沒有多少人性，因為你把這些有人性的東西寄託在這些沒有人性的人身上，你想想這是什麼邏輯？

袁　莉：所以我覺得您那本書《權力的劇場：中共黨代會的制度運作》，我覺得「權力的劇場」取得特別好，它就是一個權力的劇場，political threater，每一步包括倒茶都是被高度訓練過排演過的，然後出了這麼一個事情，這些人表現出來的是他們內心深處最真實的想法嗎？

吳國光：其實我應該用「權力的木偶劇」。我們一般講，劇場裡表演很生動活潑很有吸引力的，但是我看他們是一場木偶劇。我這個書的副標題，在出版的時候遇到一點問題。原來的副標題是「中共黨代會制度操控」，而不是制度運作；但是「制度操控」這四個字在香港中文大學出版社出版的最後階段，遇到了來自不知道哪個方面的壓力，告訴他們「操控」這兩個字不可以用。為此，香港中文大學出版社的朋友到處打電話找我，當時我正在日本旅行，找來找去最後找到了我太太的手提電話，三更半夜打到了日本，問我把「操控」這兩個字拿掉，變成制度「運作」，可不可以？我說可以，只要你出書，我已經千恩萬謝了。

袁　莉：我再問最後一個問題吧。剛才你也說了，中國每一輪其實最後都是政治問題；經濟發展得再好，最後政治問題解決不好，還是老百姓來承擔後果。最近很多中國人都跑來跟我說，經濟如果是這樣子疲軟下去，會怎麼樣？是會崩潰呢，還是會慢慢地像日本一樣，很多年都是增長緩慢或者沒有增長？這樣下去，可能面臨的政治後果是什麼呢？

吳國光：我想如果要做一個國際類比的話呢，日本肯定不是一個恰當的例子。

當然，不僅說日本人做事情非常地認真、用心，東西做得精緻；就是只講經濟面，幾十年不漲工資，幾十年不漲物價，我覺得這個本身倒真是符合中國人講的「歲月靜好」。

我覺得這在中國是不可能的。因為日本在這之前，已經有長期的經濟發展，而且這經濟發展是和它的政治的制度，和社會、文化，都有很好的匹配。比如說，在日本的公司裡，失業的可能性就非常的低。表面上看，有的公司的效率、競爭力可能沒那麼強，但是這企業等於分擔了整個社會的福利和責任。

所以我覺得日本沒有發生經濟災難，只是它的經濟過了這樣一個高速經濟增長期之後，進入了一個長期平穩的經濟階段。我不覺得這個階段比高速經濟增長階段差，其實我覺得對人們的生活來講，可能這種階段更理想。大家都沒有很高的欲望，但是日常的生活都過得很好，我覺得這使人類心境也更平和，是比較理想的一種人類生活。

那中國顯然還沒有達到這麼一個情況，遠遠還沒有達到。中國今天已經積累的財富，如果能夠做相當平均的分配，也許中國社會能更接近於這種狀況。

但問題是，即使中國在經濟繁榮期，負面的後果也已經很嚴重了：腐敗、貧富分化、環境污染、社會治安惡化、道德水準下降等等。這些東西，按道理都不應該是和經濟高速發展一起出現的。就像日本經濟高速發展期間，除了一段時間出現嚴重的污染以外，沒有出現這麼嚴重的負面效果。首先就是整個社會的道德水平沒有急遽下降。中國古人也講，日子過得好了，道德水平應該提高啊，是吧？那個政治後果是誰來承擔呢？就是中國的老百姓來承擔。為什麼總是老百姓來承擔呢？

還是剛才講的，這是一個政治問題。因為政治其中有一個經典定義叫 who gets what，就是「什麼人得到什麼東西」，這個東西這就是政治的中心問題。一般來講，大家講 who gets what，是在說得到的好處，但實際上代價的分配也是 who gets what。有了災難，為什麼是你來承受？新疆克拉瑪依大火出現了，為什麼是領導先走而不是學生先走？[26] 這不就是權力？這不就是政治？這不就是誰得到災難的後果嗎？這個後果完全是權力來安排的。它如果是一個叢林政治，沒有這

26　1994 年 12 月 8 日，新疆維吾爾自治區克拉瑪依市的「友誼館」發生火災，其時館內正在舉行 15 校學生文藝表演。這場火災造成 325 人遇難，其中包括 288 名中小學生。火災發生二十多天後，《中國青年報》一篇通訊文章〈人禍猛於火——克拉瑪依「12·8」慘案的警示〉中，提及有人在火災發生時喊「讓領導先走」。

樣一個政治權力，可能就是身強力壯的人（先）逃掉了。

所以這是人類不願意要叢林政治，希望有政治秩序的原因。
但中國的政治秩序，不保護弱小，只保護擁掌權者。我覺得
其實中國所有的社會現象、經濟現象，萬變不離其宗，都和
這個有關。現在當經濟愈來愈疲軟、經濟前景愈來愈不看好
的情況下，我覺得大家與其普遍地去擔憂經濟問題，不如多
去想一想，經濟背後的這樣一個權力機制。這個問題想通了
以後呢，經濟問題可能也就迎刃而解了。

再比如說，回到我們剛才說到的蔡奇和李強，習近平對你們
兩個人誰都信任，也誰都不信任，還得讓你們兩個人互相監
視、互相制約。我講這個的意思就是，你不要以為你已經是
習近平之下最高的人物，就不會再承擔什麼後果了。當然，
經濟後果可能不會直接地落到你的頭上來。但是經濟後果帶
來社會不安定，以及隨之而來的政治責任，需要有人承擔。
老百姓是承擔不了這個責任的，習近平要找一個承擔者的
話，首先就是你們這些人。

這個體制是一個互害的體制，誰都可能成為受害者。所以中
國的精英首先要意識到，經濟下滑不僅會對你的財富帶來損
害，不僅是財富下滑帶來的社會、政治後果會對你的官運會

帶來一些不可測的因素。當經濟繁榮的時候，可能這些危機被掩蓋了，你還覺得我搭上這班車發了財就好了；但是這個體制隨時都會轉過頭來把你打入地獄，你一點辦法都沒有。

我現在如果要鼓動什麼人，把他們的人血拿出來給我們蘸饅頭吃的話，我首先鼓動的就是這些體制內的權力精英和財富精英，你們要看清這一點，我想這可能對解決中國未來的問題起的作用會更大一些。

對談江雪、張潔平：
從黃金時代到萬馬齊喑，中國新聞業發生了什麼？

江雪曾任《華商報》的首席記者、評論部主任，財新傳媒調查記者，現在是獨立媒體人。她專注於民生與法治議題，近年寫作以反右為背景的歷史口述記錄，2022 年初她寫的關於西安封城的文章《長安十日》廣為流傳。張潔平目前是哈佛大學尼曼學者（2023-2024）。她曾任香港《端傳媒》總編輯、《號外》雜誌副主編、《亞洲週刊》記者，也曾為紐約時報中文網撰寫關於香港的長篇深度報導。2018 年，她創辦了去中心化的內容創作與討論平台 Matters；2022 年，她創辦了獨立書店「飛地 Nowhere」。

改革開放給中國帶來的其中一項積極進步，是市場化媒體和社交媒體在公共生活中突出的影響力。無論它們開啟的自由空間羈絆著什麼樣的枷鎖，那也是中國歷史上少有的亮光時刻。公民言論空間和新聞自由，是習新政首先打擊的對象之一。

從 2013 年初的《南方周末》新年獻詞事件，到打擊微博大 V，到「七不講」，到 2016 年提出「黨媒姓黨」……十年

後的今天，中國媒體一片沉寂。重大事件發生後完全沒有媒體跟進報道，公眾關心的問題沒有答案，官方機構壟斷所有資訊，調查記者幾乎消失，大量媒體從業者被迫轉行。類似的遭遇也在律師、NGO 組織、企業家身上一再上演。中國好不容易萌發的公民社會遭受嚴重打擊。

這期節目請來了經歷了各種波折之後依然充滿新聞熱忱的兩位媒體人，她們談及自己過去十年的經歷，探討沒有獨立媒體對中國的普通民眾以及政府意味著什麼。

節目播出時間：2022 年 10 月 2 日

訪談要點：

◆ 2012 年的時候分別在做什麼？

◆ 中國媒體的黃金時代是什麼樣的？它是怎麼結束的？

◆ 全面審查時代，新聞記者還有什麼選擇？

◆ 香港傳媒業在 2020 年後的巨變

◆ 新冠疫情爆發之初湧現了一大批深度報導，中共在當時放鬆了審查嗎？

◆ 阻止記者採訪報導，當局都有什麼手段？

◆ 做記者對中國社會有沒有什麼影響？堅持的新聞理想有沒有意義？

◆ 在做新聞如此艱難的時代，年輕人還應該學新聞、做記者嗎？

袁　莉：2012 年領導人換屆的時候，你們分別在做什麼？當時新聞記者在中國扮演的角色是什麼？

江　雪：我當時在西北的一家報紙負責評論部，可能這是我媒體生涯中比較少的沒有做記者而做評論的時期。但當時沒有離開新聞，因為我們做評論，每天都要去判斷當天最值得評論的新聞。當時各個市場化媒體都非常注重評論的版面，我記得《南方都市報》當時就提出的，通過評論版來實現公民發聲、公民表達。那段時間我負責評論版，因為臨近換屆，是一個大事情，我們當時就策劃了一系列的行動。

當時的社會氛圍是很多話題都可以談的。溫家寶總理在記者招待會上談到文革的問題，說必須反思文革、警惕文革重來。我們可能也受到這些話語的影響，當時策劃了一組繼續推進改革開放的評論，尺度還是比較大的。我後來回想，當時那種氛圍，可能是抓住了一個最後的尾巴，還是儘量去說了一些話。

袁　莉：當時你有沒有想到這是一個尾巴？

江　雪：那時候是把它當作一個尋常的事情。當時的氛圍，大家還是很歡欣鼓舞的。重慶薄熙來事件剛過去，我有些朋

友是非常樂觀的，認為春天就要來了。

袁　莉：潔平，你能不能説一下 2012 年你在做什麼？

張潔平：我 2010 年到 2012 年初在北京，是我人生中比較少的做香港媒體駐京記者的時間，所以也見證到這個變化的過程。2012 年新一任領導人上台之前，我跟很多外媒一樣，其實都在採訪，看他會不會給中國帶來改革。

我記得路透社、《南華早報》、《紐約時報》，好多外媒應該有半年的時間都在猜。在習近平上台之前，胡溫已經——尤其是溫家寶——當時在很多外媒打好了一個鋪墊，說中國要往憲政改革的路上走，然後習近平又是中共著名改革派習仲勳的兒子，歷史和現實的因素的鋪墊，好像都顯示習近平會把憲政改革推到更深處。所以我記得當時所有的媒體都在往這個方向去做採訪。當時剛好是香港的《陽光時務》（後改名《陽光時務週刊》）剛成立沒太久，老闆有紅二代背景，所以他給我介紹了一大堆習近平的髮小去採訪，回答的核心問題就是他到底是不是改革派。

我當時印象很深，只有一個人非常堅定地說，習近平不是改革派。這個人是胡德華，就是胡耀邦的小兒子。胡德華非常

堅定地不停給我潑冷水，說這些外媒預測都是有問題的。他說以前跟習近平一對一交流過改革的問題，大概一兩個小時，然而習近平一句話都沒有講。胡德華認為核心問題是，你把黨的利益放在最前面，還是人民的利益放在最前面，然後他得出的結論是，習近平不可能往憲政改革的路上走。他是唯一一個做出判斷的人。當時其他所有人，包括他的哥哥胡德平，都堅定地相信習近平是改革派。

袁　莉：真的挺有意思。習近平上台了以後，我們《紐約時報》評論版的專欄作家紀思道（Nicholas Kristof，1989 年時是駐京記者）還寫了一篇特別有名的評論〈習近平是改革派〉，現在經常被人和他自己拿出來調侃。

張潔平：習近平當時好像消失了一個星期左右，沒有人知道他的行蹤，全部都在猜測他是不是去密謀搞改革，真的是很好笑。

袁　莉：我們今天談媒體在這十年的變化，江雪能不能給我們簡單解釋一下「市場化媒體」是怎麼回事？

江　雪：我是 1998 年入行的，一入行就進入市場化媒體。我們可以看到很多後來著名的市場化媒體是 1996 年前後開

始出現的，《南方都市報》1995 年試刊，我所在西北地區最大的報紙《華商報》也是在 1997 年 7 月 1 號改版的。那段時間，各個地方都有一份區別於黨報的市場化媒體，它們很多脫胎於黨報或者一個黨報集團，但不再有黨媒的撥款、政府的撥款，自己進入市場，自己養活自己。在繁盛的時期，幾乎每一個省都有一個比較強勢的市場化媒體。

我們把它稱為市場化媒體，主要是為了區分中國 1949 年之後形成的媒體格局——即蘇聯《真理報》模式，它們其實不是真正的媒體，而是一套宣傳機器。

但是市場化改革之後，原本的黨報集團其實難以養活自己了。如果你全靠官方撥款，可能也是沒辦法養活自己的。所以，每個地方的黨報都會在下面辦一個「子報」。

袁　莉：你們寫東西和黨報的尺度是一樣的嗎？選題有什麼不同？

江　雪：有很大的不同。黨報，比如某日報、某晚報，繼續擔當宣傳角色。但市場化媒體要關注民生，因為它要進入市場，就必須要有公信力，說白了你要讀者去買你的報紙，內容還要儘量讓讀者喜聞樂見，能拿到廣告商投放的廣告，然

後來養活一幫人，所以公信力是它的基礎。你一份報紙賣八毛、一塊（人民幣，下同），如果發行量很大效益還不錯，但賣報紙本身不一定盈利，是廣告商的投放會讓你有很大的盈利空間。

袁　莉：雖然說有所謂的「中國媒體黃金時代」，但中國媒體從來都是有內容審查的，當時對市場化媒體內容審查的尺度是怎麼樣的？你們是怎麼應對審查要求的？

江　雪：官方對市場化媒體的審查是一個事後審查制。你要是不遵守新聞紀律，給你發個黃牌甚至紅牌，你黃牌累積多了，換成一張紅牌，可能媒體要停刊之類的，但這些審查是在事後。

袁　莉：就是報導刊發了之後，再說你？

江　雪：對，當然會要求總編有政治大局意識等，這個是事先的。但是不會像黨報那樣，你要發社論，可能省裡的領導要（預先）看。總之，在我 1998 年入行的時候，我所在的市場化媒體是沒有事前審查的，都是你自己把握，如果你觸碰了紅線黃線，可能會承擔很嚴重的後果。2013 年《南方周末》新年獻詞事件，大家抗爭的時候提到了一點，就是官

方違背了自己的規則。因為你對媒體一直是事後審查，但現在新年獻詞還沒發表你就拿去審查、修改，這是違反了你自己的審查規則的。

袁　莉：你們要寫一個大的稿子，調查報導，也有不讓你們發的情況。但是你們敢於去衝一下，把稿子先發出去，然後再寫檢討，是這樣嗎？

江　雪：我們今天所說「黃金時期」，但其實哪有什麼「黃金時期」，只不過是你現在回想起來，覺得那時候相對好一些。但其實那時候天天也很痛苦，也是大大禁令，這不能做那不能做。我覺得所謂「黃金時期」一個重要的指標是，雖然有禁令，但大家一度還是有一個「記者職業共同體」，大家會意識到一個新聞記者的責任──我不再是一個宣傳工作者，我是一個記者，要做調查、做社會事件報導。而且，禁令也不是一成不變或者完全銅牆鐵壁的，除了軍隊、監獄這些「觸犯天條」的內容你無法去觸碰，其他的領域還是可以去碰一下的。如果有天花板，大家也願意把它往上面頂一頂。

2008 年汶川大地震，官方第一天也是下禁令「不要炒作災難」、「以新華社、央視報導為主」，但所有稍微有一點抱

負的媒體，在事故發生幾個小時內記者就都往北川去趕。災難太大了，如果沒有信息相對開放的話，政府救災也實現不了。當地基層政府也都盼著媒體來，媒體關注多了，這個地方得到的救災資源就相對會多。所以那個時候大家會這樣去努力。

袁　莉：是的，有禁令，但是大家有衝破禁令的空間和勇氣。當然，這也意味著懲罰不會特別嚴重，讓媒體和記者承受不了。主要當時是有這樣的氛圍。

江　雪：還是會判斷一下。有時候一家做了有風險，但可能大家都做的話，這個風險就會減輕一些。

袁　莉：潔平，你當時也有給大陸的媒體寫稿，有沒有「尺度」的說法？

張潔平：有，2014 年之前，我幫《中國青年報》的《冰點週刊》、《南方周末》、《新週刊》寫稿，是他們的香港撰稿人，但我是用筆名。我本職在香港媒體工作，在當時和大家一起「推天花板」，香港媒體就常常扮演一個「他山之石」的角色。

中國大陸的媒體對香港的態度，在 2016 年前後是截然相反的。當時，法治、民主、社區保育、廉潔腐敗，這些議題，在國內報導總是會碰到一個天花板，就會去香港找一個案例。所以當時我會接到很多這樣的約稿，比如說：我們（中國大陸）這兒拆了一條胡同，聽說香港保留下來一條街道，你能不能給我們寫寫香港的社區自治、社區抗爭是怎麼做的？

我記得當時我幫《冰點週刊》寫過，一個老太太如何讓港珠澳大橋停工，大陸的法官被送來香港大學法學院學習司法獨立，廉政公署的故事等等。然後當時（大陸對香港的態度）跟現在真的反差很大。你很清楚香港是被當成一個「我們想要更好」或者「更像香港」的參照系，所以明明有些時候香港做得不好，比如說胡同拆了的事兒，編輯在找我的時候，我說：「可是香港拆了更多的街道。」然後他就說：「沒事兒，你給我們寫一個保留下來的例子，一定要往好的方向寫。」我覺得這個經驗是很有趣的。

一直到 2017 年，就是香港主權移交二十週年的時候，是一個終點。2007 年是一個高峰，我記得《南方都市報》、《南方周末》當時來香港做了一個超級大的專題，就是方方面面都要學習香港。到了 2017 年，因為是雨傘運動之後了，已

經開始走下坡路的時候，但中間這十年裡邊我寫了蠻多的這類稿子。我還記得幫《新週刊》寫過一個好長的專題，叫「為什麼到香港念大學？」，裡面最大的一個篇幅就是寫學生會。我講香港大學、香港中文大學的學生會是有獨立於學校的法律地位，有獨立的預算的。我當然一般不會寫到社會運動，但除此以外的尺度是很大的。我甚至還幫國內的旅遊雜誌寫過，作為一個重要的公共空間、而不是旅游景點的維多利亞公園。

袁　莉：你有提到維多利亞公園每年「六四」的集會嗎？

張潔平：我有提到每年很多重要的日期都有很多人在那裡遊行集會，我沒有提到「六四」，但是我的角度是，一個城市要有一個這樣的公共空間，他們就照我寫的刊登。

袁　莉：這個太有意思了，變化太大了。那所謂媒體的「黃金時代」是什麼時候結束的，有沒有一個標誌性的事件？我自己感覺是從《南方周末》新年獻詞開始的。

江　雪：我也覺得《南方周末》新年獻詞事件是一個分水嶺，之後「七不講」等一系列限制措施就開始了，然後很快就能感覺到大學、NGO、律師等領域的變化，（《南方周末》

新年獻詞事件）是公民社會全面被打壓的先導。

袁　莉：潔平，我看到你 2013 年新年獻詞事件發生以後，你寫了一篇評論，題目叫〈從「跪著造反」到「站著反抗」〉，現在你能想起來當時是什麼感覺嗎？

張潔平：對，我當時主要是想讓中國大陸以外的人明白《南方周末》抗爭的意義。對身處海外的人來說，很多人會覺得中國媒體就是黨管的，分不出層次。當你沒有完整的新聞自由的時候，他們就會認為你沒有新聞自由。所以我們剛剛說到的這些細膩的層次──媒體人在束縛之下去推大花板，然後推到了一個「跪著造反」的境地，那麼這跟「站著反抗」的差別到底在哪裡，我覺得海外的華語世界或者英文世界是很難理解的。

我記得當時《南方周末》新年獻詞的時候，國內的「山炮黨」，就是比較激進的這派人，還是會很大力地去酸或者是去批評：「你們以為自己是誰？你們還真的以為自己是抗爭者？你們從來就沒有做過抗爭，因為你們最終也都還是服從審查的。」我記得當時這個爭論其實也挺大，說風涼話的人也蠻多的，這是個蠻經典的（中國大陸）溫和派和激進派的對峙。

如果放到這個脈絡下，其實 2008 年，尤其是溫家寶開始說政治改革之後，中國的自由派的陣營其實已經很分裂成了溫和派和激進派了。我覺得到 2013 年，一方面，這可能是中國媒體「黃金時代」的結束，另一方面也是反對的力量只剩下激進派了，然後也就非常勢單力薄。溫和派的聲音從 2013 年到 2015 年徹底被消滅了，不管是溫和派的知識份子還是溫和派的媒體人，我覺得《南方周末》事件標誌著這個空間的消失。

曾經我們說，希望體制內和體制外的溫和力量的結合，一起把中國推向憲政民主，很長一段時間的論述是這樣的。《炎黃春秋》、黨校一些比較開明的教授、市場化媒體、很多個人的媒體人跟知識份子，形成了所謂的體制外跟體制內的開明力量的聯盟。我覺得《南方周末》事件大概就是聯盟的結束，包括後來《炎黃春秋》被關閉，都跟這個有關。中國政治中就剩下很極化的聲音了，相對激進的聲音跟非常主流（指的是跟隨官方意識形態的主流）的聲音，當然兩者的力量非常懸殊。

袁　莉：江雪，你 2014 年底離開了任職十幾年的報紙，那兩年究竟發生了什麼呢？

江　雪：我是「給我陽光我就燦爛」的性格。只要你給我空間，你讓我有地方做，我肯定會儘量去爭取和拓展邊界。但後來就感覺到 2013 年、2014 年，真的是沒有什麼可以做的了，很多原來我們認為理所當然要評論的事情也不能評了。我辭掉了評論部主任，還是去做記者，因為我還是離不開一線，但這個時候就感覺真的是沒有空間了。

我印象很深刻是 2015 年的長江沉船事件，[27] 我當時判斷說真的沒法繼續（在體制內媒體）做了。過去我們忍辱負重，我們還能搞點事，我可以忍這個辱，是吧？我在接受你劃定的一些東西的時候，我去報導民生，我能起到記者的作用。但到 2015 年我真覺得不行了，再做下去我真的是很費生命。我都到中年了，不能就這樣下去，還是自己要去搞點自己想做的。

張潔平：剛才江雪提到長江沉船事件。溫州動車事件和長江沉船事件是兩個很鮮明的對比，2011 年 7 月 23 日，溫州動車事件，[28] 大家肯定都記得，微博上的互動非常的強烈。我

27　2015 年 6 月 1 日，原定於從南京駛往重慶的「東方之星號」客輪，在途徑湖北省監利市容城鎮橫嶺村對開長江水域時，因遭遇惡劣天氣而翻沉。船上共載有 454 人，其中僅 12 人獲救，共有 442 人罹難。

28　2011 年 7 月 23 日，中國甬台溫鐵路發生嚴重的列車追撞事故，導致逾 40 人遇難。

自己覺得長江沉船是記者現場報導的轉折點，你第一次體會到記者面對的困難，不管你是國內的媒體還是國際的媒體，除了禁令、報導發出來後記者被威脅，在當地被追蹤等等這些常規威脅外，第一次出現嚴密控制受訪者和他們所有的家屬，記者去到現場採訪不到任何人。之前雖然也有，但是長江沉船事件是一個真正的、徹底的控制。我們派了記者去，家屬們好像都在江邊的一個山包上等著打撈的狀況，然後整個山包全部都被武警封鎖起來了。當時記者在現場給我打電話，我說總有小路可以進去，這種事情你總是可以找（到辦法）的，但是後來發現完全沒有，根本採訪不到當事人。後來網上很多當事人透過微博發聲，也不停地被刪。

之後這就變成了一種常態了：重大公共事件，你可能去都不能去；就算你去了，你也採不到；就算你採到了，你也發不出來。後來空難等災難事件，都是控制當事人，然後不管當事人是一個、兩個，還是一百個、兩百個，還是一千個、兩千個，反正都能給你控制起來，這個是我覺得很大的一個變化。所以後來不管是國內媒體還是境外媒體，在中國大陸採訪都變得非常困難。透過網絡聯繫就很容易被追蹤，當事人當然會有事後的懲處，這個是個挺大的轉折點。

袁　莉：是的，我們說到現在都變得非常的沉重。但是武漢

疫情爆發的初期，2020 年初的時候，像《財新》、《三聯生活週刊》、《人物》、《新京報》等還是出了一些挺好的事件報導、調查報導和人物特稿。我印象比較深的是《北京青年報》和《財新》發佈的李文亮的專訪，《人物》出的採訪艾芬醫生的稿子。當時宣傳部門似乎是開了一個小的口子，讓媒體做調查，你們覺得是這樣嗎？

江　雪：我個人覺得可能不存在「開一個口子」什麼的。我們剛才說 2013 年《南方周末》事件，然後到了 2014 年 12 月 31 日跨年夜的上海踩踏事故、2015 年長江沉船事故，這幾個事情我們感受非常明顯的，媒體已經無能為力了。你憋著一口氣，積蓄著力量，經過十多年的發展，各個有抱負的媒體還是積累了一批有經驗的記者。之前大家不管有沒有禁令，都先到現場，但是 2015 年之後好多媒體已經都不去現場了。

不過 2015 年 8 月天津港爆炸，出現過一個調查報導的小高潮。《新京報》、《財新》、《財經》、澎湃新聞等等，事故第二天全國的媒體全部都報導了這個事情，而且接下來各種問責。後來分析，可能是因為事故也牽涉到 一些腐敗問題，當時不是正在反腐嗎，總的來說當時的報導還是很充分的。

所以我覺得這樣積蓄的東西，在天時地利人和的時候會爆發出來。2020 年武漢疫情發生，像《財新》這些媒體，它本身還是很有公共關懷，這麼大的公共衛生事件，媒體還是出於本能在繼續爭取。其他媒體我不太瞭解，但是《財新》的記者是在武漢駐紮了好幾個月，然後他們當時是可以出門、可以去採訪，可以去醫院什麼的。艾曉明老師應該參與了公民志願隊伍，當時據說武漢有上萬輛志願者的車子在跑，那時候還有快遞可以接收，這個氛圍跟 2022 年的封城還是有很大的不同。

但是我不認為是官方刻意開了一個小口子讓媒體去做，媒體是出於本能去做。李文亮去世後出現了洶湧的民意，但很快官方敘事開始變化，開始說「全世界抄中國作業」了，那時候輿論馬上就卡住、收緊，媒體其實就沒有空間了。

張潔平：我也不太覺得是「開了個口子」，但我覺得是，宣傳部門的策略還沒有形成，宣傳部門也還在反應這到底是一個什麼狀況，那時候大家也沒想到它會變成一個蔓延全球三年的、死了幾百萬人的一個大疫情。那個時候應該是一個宣傳治理的真空——也不叫真空，宣傳系統有一些習慣性反應，但還沒有形成對整個疫情宣傳口徑應該怎麼辦的策略。

在那個狀況下，就像江雪說的，人民要真相，然後死了這麼多人，到底怎麼回事，所有的人都要真相，媒體就很本能地衝上去，我覺得是實在難得的窗口期。但你看後來，不管是上海還是成都，還是其他地方封城的時候，就再也不會看到這樣報導的盛景了。

袁　莉：對，我挺同意的。宣傳部一開始其實有一點措手不及。李文亮去世的那天晚上，我真的覺得是宣傳部門有點被嚇傻了，他們一下子不知道怎麼來去反應，怎麼來去面對這樣子的事情。過去那麼幾年，大家都那麼乖，然後這一個晚上簡直就是……各行各業各種人，平時都對任何的政治不發聲的人，那天晚上都有反應，宣傳部門沒有反應過來。

剛才江雪也提到了，很快強大的宣傳機器又啟動了，把災難變成宣傳的機會，把這個喪事變成喜事。其實 2020 年 2 月 4 日的時候，《新聞聯播》就說，中宣部召集了三百多名記者深入武漢和湖北進行採訪報導。因為習近平做了指示，要做好疫情的宣傳教育和輿論引導工作。

江　雪：對，所以後來大家的評論就說，某些人某些勢力不僅控制了疫情，也控制了關於疫情的敘事。當時疫情在全世界蔓延，很多國家那時候正經歷病例高峰，這些都被用來作

為生成我們的優越性的一個很好的機會。李文亮去世帶來的
痛徹心扉的、感覺淚水要衝破一些東西，很快就沒有了。

張潔平：我覺得其實有兩個人的經歷很重要。

《財新》作為一個比較大的機構，它很明白在這個體制下生
存和把天花板推到最高的同時成立之道，所以他們報導的主
旋律是不會太過於挑戰當局的主旋律的。當然它是有一定的
挑戰了，尤其是一開始的記者冒著生命危險去做了這麼多很
重要的報導。

但是當主旋律發生改變的時候，其實我覺得真的能看得到的
指標是方方和陳秋實：就是一個體制內的作家跟一個體制外
的公民記者。方方遭遇的不是來自——至少表面上不是來
自——官方的打壓，而是煽動起的民意對她的潑髒水；陳秋
實就直接從上而下地被摁死了。我覺得這兩個人的遭遇是蠻
明顯的，就是能看得到輿論方向已經轉了。

**袁　莉：前面我們已經提到過，從差不多 2015 年以後，很
少有記者能夠到現場去。我不知道你們自身經歷，或者是你
們管轄的這些記者，他們去採訪的時候，一般都會面臨哪一
些障礙？**

江　雪：我想聽袁莉講。

袁　莉：我也沒有什麼，我們因為是外媒，我們又不用理他。比如說有報導禁令，是吧？我們是不管這些報導禁令的。還有一個是地方政府的阻撓，他們有一個記者的數據庫，你一買票他們那兒就知道了，然後就在你下火車的地方開始守著，比如說像採訪唐山打人事件的時候，記者一下火車就給拉到隔離點去隔離了。還有跟蹤記者的行蹤，比如說監控微信、電話這些，我想江雪非常有感觸。

再一個就是破壞現場的採訪，比如 2015 年長江沉船事件中，就像剛才潔平所說的，把家屬都圈在一個山坡上，然後武警這麼圍著。記者想用無人機去飛過去看是怎麼樣，他們還用無人機屏蔽儀，防止記者航拍；還有採訪完了，會通過上級施壓禁止發稿；再一個，就是稿子發了之後引起輿情，他們會通過網信辦刪稿。這都是我瞭解到的，但對於我們外媒來說，當然現在報導也是更加難了。

對於中國的記者，存在的困難是，大家一般都會告訴當事人說，你不要跟記者說話，跟記者說話這些事，被報導出來了，就是給境外勢力「遞刀子」。我們外媒，就更是被污名化得一塌糊塗，你跟外媒說話簡直就是犯了天大的錯。

報導中國，現在愈來愈變成了一個黑箱，真的是很難知道現在確切發生什麼。比如說「清零」事件，我寫了那麼多稿子，每個人都身在其中，都要經常做核酸，然後要被封城，但到底有多少人是真正支持這個事情，多少人是反對這個事情，就是到現在我也搞不清楚。

江雪，因為你還在做獨立記者，我真的是很佩服你，你能不能說一下你在做報導的時候，這幾年遇到了哪些困難？

江　雪：我覺得你概括的那些，反正都是總有一款適合你，都是有的。現在這種管控肯定是更為嚴密了，你說的這些手段，我覺得是用到淋漓盡致了，尤其近三年。

張潔平：剛才袁莉其實已經講過的，「總有一款適合你」，江雪你總結的廣告詞很好。

江　雪：專治各種不服。

張潔平：對，專治各種不服。

我加一個這一兩年感覺到的。當然我已經沒有在媒體，已經沒有在新聞媒體的現場了。但在這個圈子裡，我就感覺到一

個新的現象：以前你去不了，去了也採訪不到，回來還會被報復；媒體可能會被刪稿，或者會被封鎖；然後你想採訪的人不敢接受你的採訪，人採訪了以後又反悔，這種事很多。但是現在，針對記者個人，尤其針對境外媒體記者個人的人肉搜索和點名這件事情，我覺得影響很大。

以前是敵視 CNN，敵視《紐約時報》，覺得它們在抹黑中國，但現在目標落到了很具體的個人上，找出誰在幫外媒寫這個稿子，哪些是中國人，然後點這些人的名字。我覺得這件事情長遠來說，對世界跟中國的相互瞭解是非常可怕的傷害了，就是相當於你把所有的這些信使作為攻擊的目標。那真的連最後一個連接兩個世界的橋也會斷掉。

袁　莉：像我們這種人整天都是被攻擊的對象。我們可以寫，我們寫出來的是能發得出來的。因為我們還能發得出來聲音就變成了他們攻擊的對象，也是沒有辦法了。

潔平，你能不能講一下香港媒體在這十年間經歷的變化？可以說是翻天覆地，和大陸差不多，我覺得甚至更過。

張潔平：對，因為比較大的變化其實還是 2019 年之後，根本的變化還是在 2020 年《國安法》之後了，以及《蘋果日

報》和立場新聞被關掉之後，還有香港電台、NowTV、有線新聞等，這些主流媒體的核心班底被徹底換掉。香港應該是最近兩、三年經歷了類似於像《南方周末》這種不斷地、多年被換血的一個壓縮版，這也徹底地改寫了現在香港媒體的言論地景。

但在 2020 年《國安法》之前，雖然香港媒體其實一直有自我審查和自我設限，或是受到一些隱形的威脅，但是這個空間當然是比中國大陸大了非常多的。

我昨天晚上剛好跟區家麟和周保松有一個對談。區家麟是香港非常重要的一位新聞人，他在 TVB 最黃金的年代做了二十年的新聞編導新聞監製，尤其是以深度報導跟專題製作為主的，我覺得他也是香港養育出來的這一代最好的新聞人。他 2016 年的時候在香港中文大學博士畢業，寫了一篇論文，後來改寫成書，叫《二十道陰影下的自由》，是專門寫香港的新聞審查的。因為這本書是 2017 年出版的，我昨天晚上就問他，如果 2020 年之後你重新有機會出這個書的修訂版——因為現在就很不一樣了——你會怎麼改？

然後他就說，以現在的觀點來說，《二十道陰影下的自由》這本書裡描述的香港新聞審查的狀況已經全部都過時了，

現在可以全部重新寫。他說現在連書名都得改，不應該叫《二十道陰影下的自由》，應該叫《二十道刀鋒下的自由》，已經沒有自由了，已經不是陰影了，是刀鋒，就是一刀一刀砍下來。

我覺得他這個描述很形象，基本上就是在 2020 年之前，很多人都感覺到有一個緩慢的陰影正在覆蓋，但是陰影變成刀鋒，大概就是 2020 年之後吧。

袁　莉：真的是刀光劍影。

江　雪：香港主要是太快了，我們可能是溫水煮青蛙，水溫不斷地提升，香港直接給扔到沸水裡邊。

張潔平：對。

袁　莉：這種創傷真的是很難的，我真的不敢想像對香港做媒體、做新聞的人，甚至公眾來說是一個什麼樣的創傷。

現在不管是大陸還是香港，都沒有獨立或者相對獨立的媒體報導，這種情況會對公眾有一個什麼樣的危害？對政府有沒有什麼直接的危害？政府需要獨立的媒體來獲取信息嗎？把

這個社會搞成一個黑匣子，公眾不瞭解這個事情的真相，實際上政府也不瞭解，我不知道它是不是靠內參就夠了呢？

張潔平：沒有，肯定不夠。政府的決策品質的下降，我覺得這個還是挺明顯的，因為相對獨立的聲音愈來愈少。倒不是說政府是依賴這些相對獨立的聲音來做出自己的判斷，但是相對獨立的聲音愈來愈少，肯定是個信號，這個信號就表示不管是在民間還是在政府內部，批評的聲音都會愈來愈少，直至全部消失。

這不只是在民間，我們看到的是民間的狀況，但政府內部肯定也是這樣的。任何一個政策的出台，經過的層層討論，最後都經過篩選，只剩下拍馬屁的聲音跟服從的聲音，決策品質不可能好。決策品質肯定是愈來愈差。我覺得在香港也好，在中國大陸也好，還是挺明顯能看到這個現象的。

袁　莉：對公眾來說，也完全是生活在黑匣子裡，面對自己周邊的事情，實際上也是兩眼一抹黑。

張潔平：對公眾，應該是說我本質上是一個非常悲觀的人。但是對此時此刻的生活，我其實覺得沒有那麼糟糕，還是有很多空間。

我自己覺得很有趣，香港跟大陸可能不太一樣。以香港來說，雖然 2020 年下半年開始陸陸續續有幾百個記者、編輯、專欄作家失業、失去自己的陣地，然後可能很多人都去送外賣了，去麥當勞打工、開計程車，真的就很多人都去做體力勞動了。但是你也會看到有很多被打散的、離散的記者的群落也在重新聚集，形成一到三人或者一到五人的這種、香港人叫「蚊型媒體」──像蚊子一樣大小的媒體──有很多新的帳號在出現。

當然這是因為香港的生態對內容生產者的高度管控，但是對整個內容生態沒有像大陸破壞得這麼徹底。還是沒有很徹底的防火牆，然後你還是可以在 Facebook 開帳號等，這就讓很多人可以有機會重新集結，以很小的聲量，至少去團結自己身邊的社群。

另一方面在大陸，比如說我自己有很多朋友也是不斷地在開新的公眾號。江雪是一個例子。江雪是以個人的獨立作者的狀況，也有很多，其實我覺得深度報導類的媒體，我們先不說質量怎麼樣，有製作深度報導，或者是比較批判性內容的公眾帳號還是不斷地在出現。當然也許以前是大概有二十幾個，現在可能剩下三四個。但你會看到他們前仆後繼在出現，現在可能也還是有那麼幾個。還有 Podcast 對吧，在很

多內容在文字討論不了，然後跑到 Podcast 去討論，我覺得這些東西是挺明顯的。

另外一個，我覺得大陸很多的年輕人開始專心地經營自己的身邊，就是「附近」這個概念，在這兩年挺流行的，至少在公民社會社群裡邊。當宏大論述寫出來也傳播不出去，那我就回到自己的小社群，經營好自己的附近。這些東西其實就是大家不會說出口的那幾個字，民主自由，但是就在生活裡邊去實踐。我覺得這是一個能看得到的趨勢。雖然可能相比大環境的崩壞來說，這是非常幼小的趨勢，但還是有了。我是挺悲觀的，但我覺得需要找到一些可以使力的點。

另外，我覺得每一代人有每一代人的自己的反抗方式，或者我們假設不用反抗這麼激烈的詞，就是自己的應對方式。我覺得以「媒體」（為例），就是以我們這一代所熟知的「媒體」這個概念去應對，要是從這個角度看的話，肯定是一蹶不振，不會再起來的了。但是我覺得新一代人有他們自己的語言跟傳播方式，跟我們是有落差的。那種落差會讓我們低估或者是判斷不準他們的應對方式是什麼——因為我們用我們的應對方式去看的話，其實可能就會找不到正確的東西。

所以我會覺得應該更細緻地去觀察，不用那麼徹底地悲觀，

但結構上我是悲觀的。應該是說，我覺得結構上是非常無望的，但是我覺得新一代人的應對方式可能會很有趣，可能會跟我們很不一樣。

袁　莉：就是在絕望了以後，你總得給自己一點點的希望，或者總得要找一點點東西。不然的話真的是絕望，除了絕望還是絕望。回過頭來看做記者做媒體，這些年你覺得對中國社會有沒有什麼真正的影響？你所堅持的所謂的新聞理想有沒有意義？

張潔平：我最近在想一件事情，我覺得挺有趣的，是因為我覺得「新聞理想」這件事，這四個字肯定是把我們大家所有人在堅持或是在實踐的東西縮小了。

就是因為新聞是一個到達我們理想中更好世界的方式吧，至少對我來說是這樣子的。但是剛開始，應該是說我剛開始在香港做新聞的時候，至少前十年、前五年，跟十年（後比），我覺得我是完全沒有抱著任何改變世界的想法的，一點都沒有。因為我覺得這個是從中國大陸出來的人的一種天然的無力感。你根本不指望能改變這個世界，至少我相比起我當時很多還很清純的香港記者朋友來說，是不抱希望的。

他們都會希望自己的一個報導出來之後，比如香港政府的政策就改了，事實上也常常是這樣子的。就是一個調查報導踢出來，然後誰誰誰就下台了；一個什麼報導出來，誰的政策方向就變了；然後甚至哪個人選舉就贏了，哪個人就輸了。

我覺得不管是在香港、在台灣、在美國，在一個正常一點的法治、自由和民主的社會，其實是這樣的，新聞媒體至少很長一段時間是有這樣的作用的。但我覺得我自己從中國大陸出來，而且我之前一直報導中國的人權新聞，我就完全不抱這個希望了。我所有的想法就是要給歷史留個紀錄。記錄不是隻言片語說發生過這件事情，而是記錄在這些事情中間的人曾經這麼精彩，這麼有光輝，這麼的豐富。他／她有這麼多的人性之美，他／她不是只是一個抗爭的符號，也不是只是一個被壓迫的對象，我很長一段時間做新聞時的心願就是這樣子，就是你要讓這些真實存在過的人恢復原本的面貌，留在歷史裡，就夠了。

我覺得我是後來，尤其是開始參與創辦媒體、做組織之後才意識到說，我並不是沒有改變世界的心願。這個無力感的消失是香港教給我的。

我覺得一個健康或者是民主或者是自由的社會，教給人最核

心的一件事情就是參與感。你要相信你有能力改變你所在的地方，尺度不管是一個很小的社區，還是一個很大的事件，你不是無力的。你是應該要參與並且有能力改變的，這個世界能變得更好，你是可以出一份力的。我覺得這件事情是我們作為中國人從來都沒有機會習得，然後也因此變得很自私。我覺得這也是為什麼中國移民到世界各地都顯得那麼討厭的原因，就是因為當他們去到一個可以參與進去的社會的時候，已經完全不知道要怎麼參與進去改變自己身邊的社會了。

諸如這個國家該不該接收難民的問題，是很茫然的，最後只能回到一個基本的，就是這件事情對我有沒有好處，有沒有利益？這成為了唯一的判斷標準，但這不是他／她的罪過，我們生活的環境教給我們的就是這樣子的。

我自己在台北，就是一個暫時的狀態，但是我也在很短的時間之內，就不知道為什麼莫名其妙去接手了一間書店，還把這個書店名字命名叫「飛地」，我覺得對我來說是一個很重要的自我療癒，或者是對理想的一個堅持。就是說我們不管流落到哪裡，我們都要創造一些讓自己能有機會參與改變的環境。如果現實世界已經把我們拋棄了，我們可以創造一些新的小世界，讓我們自己可以投身進去，改變它、塑造它、

參與它。我覺得這件事情是很根本的，不然的話人活在這個世界上很無力，那就完蛋了。沒有活下去的動力，到底為什麼要活下去，對吧？所以我覺得這是香港教我的，它作用在了我的某一種延伸的新聞理想上。

袁　莉：江雪，你是從 2015 年開始做一個獨立媒體人，寫了一系列非常精彩的報導，但是你也付出了沉重的代價。比如說 2020 年 5 月，你因為發表〈在國家哀悼日，我拒絕加入被安排的合唱〉這篇文章被警察帶走盤問。2022 年初西安封城就是幾乎沒有媒體報導，你寫了一篇〈長安十日〉廣為流傳，你也因此受到了非常大的壓力。

回頭看做記者做媒體，你覺得對中國社會這些年有沒有什麼影響？你所堅持的新聞理想有沒有意義？還有你明明知道發〈長安十日〉這篇文章會遭遇什麼，為什麼你還是要發表？

江　雪：其實我還沉浸在潔平剛才講的裡邊。我覺得潔平一直是一個勤勞的小蜜蜂，而且就特別會釀造，然後她這麼多年從做記者，去到創造很多的平台，包括那時候在「端傳媒」，其實我當時做獨立記者也沒有什麼平台，只有「雪訪」的公眾號，後來公眾號的限制愈來愈厲害。當時端傳媒就是一個非常重要的出口。

這兩天寫一個 2014 年寫過的入獄的律師，他那時候判了十年。現在我們屈指一算，還有兩年他就出獄了。他已經坐了八年牢了。

袁　莉：你說夏霖嗎？

江　雪：對。因為你難以想像，他當時判了十年，屬於是律師裡邊判得相當重的一個，他現在已經坐了八年牢了，還有兩年就出獄了。有時候想想自己也是很乏味，這麼多年好像還在寫這些。有時候想想是不是自己也沒什麼進步，會有一點恍惚的感覺。

你說它有沒有意義？我想還是有意義的。沒有意義生活還有什麼價值？你做的事情如果沒有意義，你光一天吃喝拉撒，真的就是，這活著幹嘛？我們當初抱的理想都是一樣的，就像《冰點》週刊的李大同，他出過一本書叫《用新聞影響今天》，我們肯定是希望我們的工作能夠影響到我們所在的世界，然後真的讓它變得好一點。

袁　莉：但是你受了這麼多壓力。

江　雪：是有一些壓力，但是也得到了很多。真的你就是承

149

受了這些壓力，然後還好，付出的代價還沒有，目前我還沒有失去自由。我記得一個朋友曾經說過，我衡量過我做事情會付出代價；但如果讓我去坐牢，讓我掉腦袋，這個代價我感覺我付不出。但是你說代價是讓我少掙點錢，也過得不那麼光鮮，我覺得我還是可以付出這個代價的。

就說這次〈長安十日〉這個事情，你知道嗎，我一度會覺得悲觀，但這次我突然發現文字是有力量的。我們剛才說到2020 年的時候，武漢封城還有那麼多媒體去做，可是在西安封城時候，真的就是沒有媒體做了。萬籟俱寂的時候你在現場，然後你寫了一個東西，做了一個你的紀錄。就這個東西完全——你知道就不需要勇敢，它是出於本能。

你是一個寫作者，然後你在這個城市天天在捱餓，你也沒飯吃了，最多就能吃到、收到點政府送來的大白菜和土豆。你不能下樓，你的門上貼著封條的，每天一大早他敲門來給你上門做核酸，這樣的日子過了一個多月。然後，你天天擔心就像後來發生貴陽大巴轉運過程中發生車禍這樣的事。我們當時也是擔心自己，萬一樓上發生一例感染的話，就會被帶去轉運。所以我真的就是出於本能把這篇文章寫了。我認為它是很正常的一件事情，因為它沒有提供更多的東西，它就是一個生活的紀錄而已。

我沒想到，後來這個文章在公號發了，最後有成千上萬條的留言，雖然它最後被「幹」掉了，但是我把每一條留言都留下來了，我覺得這是歷史。

然後你就能知道，你的文字提供了一個樹洞，很多人去把他們心裡想說的留下來，這讓我很感動，覺得自己做的事情可能是有意義的。而且我相信每個人內心所受到的觸動啊、震盪啊，這些東西是我所不能去預料的。我們說可能很美好的東西往往是很微弱的，最後形成的參天大樹，都是從小小的幼芽開始的。這樣看的話，也覺得自己這個職業是有意義的。

張潔平：當然是特別有力量的，所以江雪做的特別重要。而且以前我在 Matters 有一個 slogan（標語）叫「寫作是最小單位的自由」，就是因為這確實是你最後的、也是最重要的堡壘，你根本不能想像你寫下的這幾句話，這一篇文章會不會有、以及會有什麼樣的蝴蝶效應，其實是很難想像的。但是在這個過程中，自我充權的感受是真的很重要、很美好。

江　雪：我覺得一定還是要回到個體的生命吧。大時代很重要，但這大時代的泥沙中，我們生命的自身感受也很重要。不管你在幹什麼，你意識到自己的生命是一個獨立的個體，

不依附於任何存在，在不自由的世界裡，你也儘量要讓自己像個自由人。

袁　莉：是的，我特別認同。就像我還要做播客，真的是因為這是個中文播客。我一般寫英文，做這個中文播客，我收到了聽眾的各種的留言、來信，真的是讓我覺得很感動。因為我做播客真的是為了治療我的政治性抑鬱；怎麼愈來愈黑暗，愈來愈沒有希望。我用英文寫作，雖然我寫的東西會翻譯成中文，但是畢竟我是給英文的讀者寫的，不是針對於中文的讀者。那我做了這麼一個播客，真的是超出我的意料，就是有那麼多人、大家這麼想要聽到不同的聲音，可以沒有顧忌地、沒有禁忌地去談話，這在中國現在就是一個稀缺的事情。

最後一個問題，我想問，你們在這樣的一個時代，做新聞這麼難的一個時代，你們還會鼓勵年輕人做記者嗎？

江　雪：前兩天還有個年輕人，跟我聊了半天，我就說你反正現在先安頓自己的生活吧。大概給他的建議，其實跟潔平有點像，就是去做「附近」的事情，你先把自己的生活安定

下來。因為他讀了新聞的研究生，但是他是一個定向生[29]，先要到偏遠的地方去工作幾年。我就說你現在的狀況，你即使懷抱新聞理想，可能在中國是沒有這樣的平台，也沒有老記者來帶你，很多東西是很難實現的。我是不會去拿我們當時來比較的，因為我們身處的環境完全不同了，我們不能拿這個理想去忽悠年輕人，還是讓他們要面向生活。

當然你自己的內心的一些堅持，你要做的事情還要一直要保持思考。但我覺得很難去鼓勵他們，說你還得去做記者。首先，你到哪裡去做記者？這就是一個問題，沒有那麼多好的媒體容納所有這些年輕人的，但每年還是有成千上萬的有理想、也是有熱情的年輕人從新聞學院畢業，很可惜。

張潔平：對，我其實也可能不會給很明確的鼓勵或不鼓勵。但我覺得因為對剛剛走進社會的人來說，去找到自己要做什麼，然後慢慢找出自己認為理想的世界是什麼會更好，而不是人云亦云地去抄襲任何一種寫好了的意識形態。

可能以前在相對比較好的環境裡做媒體、做記者，是讓你能

29　定向生，是指在中國受政府或企業單位資助、畢業後必須到指定機構工作一定年限的大學招生計劃。

夠很快地接觸很多人的人生，然後看到很多的生命的樣子。
我覺得這是個捷徑，去讓你發現自己是誰，要做什麼，想自
己在這個世界有個什麼位置。但是現在肯定不是了，不管是
在中文世界還是在英文世界都不見得是。首先中文世界肯定
不是，然後在英文世界這可能也不是唯一的選擇，或者可能
有很多別的選擇。

但從另一個角度看，如果你其實是喜歡寫作，或者是對記
錄、對歷史、對記憶有一些很本能的執著，那也不一定要在
機構媒體裡做記者。還是有很多事情可以做，你可以把你身
邊的事寫下來，可以去寫那些你不得不寫的、你非常熟悉
的、你覺得應該要被記錄下來的題材。是不是用傳統媒體的
方式，就不一定了。所以我覺得這兩個層面都不必然會指向
記者，但是這兩件事情都很重要，我們還是得找到新的方式
去做它。

第二章｜逆向改革：重返蘇維埃的中國經濟

專訪許成鋼：
中國經濟還有救嗎？

許成鋼是中國經濟學家，1984 年赴美留學，1991 年獲得哈佛大學經濟學博士。後任教於倫敦政治經濟學院（The London School of Economics and Political Science）、香港大學，現任史丹佛大學大學中國經濟與制度研究中心高級研究員，倫敦帝國理工學院（Imperial College London）客座教授。他也曾擔任清華大學特聘教授、歐洲經濟政策研究中心研究員、世界銀行和國際貨幣基金組織顧問。

許成鋼的研究重點是轉軌經濟學。他在哈佛大學時師從研究社會主義體制的著名經濟學家雅諾什‧科爾奈（János Kornai），在上世紀八、九十年代，科爾奈提出的短缺經濟學、投資飢渴症、軟預算約束等，對中國經濟學者和經濟政策制訂者產生過非常大的影響。他出版過的書籍有：《探索的歷程》（2021 年）。

本篇訪談來自三期「不明白播客」節目，許成鋼教授分別重點討論了土地財政和中國經濟高速成長之謎，目前面臨的通貨緊縮困境和經濟危機，以及由此引發的全面危機的風險。

他指出，中國是帶有部分市場經濟元素的極權主義制度，這種制度的特點是黨控制一切。過去幾十年中國經濟高速增長的原因，是私營經濟的貢獻，還有和發達國家緊密的關係。但當經濟發展到一定程度，這種共產極權制會對經濟增長構成巨大制約，如果這一制度不發生根本性變革，中國經濟最終會走回蘇聯的老路。

土地財政的由來和中國經濟高速增長之謎

節目播出時間： 2022 年 10 月 2 日

訪談要點：

◆ 分析中國過去十年經濟高速增長的原因

◆ 分析中國經濟面臨的結構性問題

◆ 從房地產危機解析中國的「土地財政」

◆ 分析中國私人消費佔 GDP 的比重低的原因

◆ 分析中國發生金融危機和經濟危機的可能性

袁　莉：您能不能先談一下中國經濟在過去幾十年為什麼增長那麼快？您對於所謂「中國經濟奇蹟」有自己的一些看法，能不能給我們說一下？

許成鋼：當我們討論到中國改革開放以來的快速經濟增長的時候，往往忘記了一個非常重要的起點。這個起點就如同二戰以後，人們看到日本、德國有很快的發展，但實際上它的快速發展裡邊很大一部分是恢復，就是中國經濟在過去遭到了非常嚴重的損壞。

在文化革命結束之前的那一段時間裡，中國經過了大躍進和文化革命兩場的災難，加起來有十幾年的時間，中國的經濟是極其的貧困，所以在改革開放前夕，中國的經濟相當於戰後的恢復這在任何國家來說，只要沒有出現極端的混亂，都是相對容易的，所以會有比較快的變化。

然後我也不同意這叫做「經濟奇蹟」，我願意用的說法叫「中國之謎」，為什麼是謎？是因為所有的共產黨國家除了北朝鮮之外都經歷了經濟改革，但是絕大部分的共產黨國家經濟改革都是失敗的，而中國在經濟改革時期有了快速的經濟發展，所以從這個角度講它是一個謎，但不是奇蹟。

為什麼不是奇蹟？因為無論是日本、韓國、台灣，他們都是持續的高速增長，一直把他們的經濟送到了發達經濟體的範圍裡去，而中國還遠遠不到那個水平，但作為一個共產黨國家，它的改革居然導致了經濟有幾十年的快速增長，和其他共產黨國家比這是一個謎。

對於這個謎我們做過很多的研究了，非常簡單地概要一下：這個「謎」的關鍵就是在共產黨制度下，怎麼解決制度內部的激勵機制問題，而其中最難辦的部分就是對黨政官僚體系的激勵機制問題。

中國解決黨政官僚體制內的激勵機制問題，靠的是向地方分權的辦法。它在政治上、意識形態上和人事上都是高度集權，但是在行政上和經濟資源上，它是向地方分權的。這個制度並不是改革開放才建立的，這個制度在大躍進和文化革命的時候就已經形成了，所以它實際上是延續了過去留下來的一個制度。而大躍進和文革相當於一場戰爭，這個戰爭帶來了很大的破壞，但是兩場的革命也給中國帶來了一個和蘇聯不一樣的制度。

在改革開放時期，由於向地方放權，給了地方官僚相當大的激勵。這個強激勵機制裡邊很重要的部分就是地方官僚有相

當的一部分自主權，還有對他們的考核也是以經濟增長來衡量的，那麼他們為了經濟增長，又有一定的自主權，使得一些地方的官僚為了當地的發展，可以使用一些手段來掩護原本是不合法的私營經濟。

中國真正發生了重大變化的根源是因為私營經濟的發展，而私營經濟的發展在所有其他共產黨國家都是堅決不允許的，因為這是直接和共產黨的意識形態衝突，和共產黨的組織、原則、制度全部都衝突的。但為什麼私營經濟在中國能發展？原因就是剛才講的。

當私營企業在中國經濟裡已經成了一個既成事實，已經成了無法或缺的東西之後，那麼可以從很大意義上講，中國是以被迫的立法形式承認了既成事實，這個就是 2004 年《憲法》的改變。中國可以說是第一個共產黨國家在憲法上正式地承認私有產權，當然讓中國的經濟會在一定程度上和其他的共產黨國家有相當的不同，也會促進經濟的發展。

總結來說，為什麼改革開放的前三十年經濟快速發展，有兩大原因：第一，就是當時的狀況相當於戰後的恢復；第二，就是因為激勵機制跟其他的共產黨國家不一樣，使得民營經濟有了很大發展。

袁　莉：我們來說一下這十年，您如何評價 2012 年習近平上台時的中國經濟？有人說他繼承了一手好牌，但我看您那幾年寫的不少文章都是論述中國應該如何改革，當時您覺得中國經濟面臨著哪些挑戰？這些挑戰現在還在嗎？

許成鋼：當時實際上看得很清楚，中國經濟是用很勉強的辦法在維持它的增長。為什麼這麼講？就是真正能夠看清中國經濟發生了基本變化的時間，是在全球金融危機的前期。在全球金融危機爆發之前，中國的經濟就已經有了出嚴重問題的跡象，但由於全球金融危機的衝擊把這個問題掩蓋了，就使得政府可以以應對金融危機為名義，用大規模舉債的方式來全面地推動公共開支，尤其是在基礎建設上的公共開支。

但實際上這是借未來的錢解決當前的問題。他大量地借錢搞公共建設、基礎建設，如果這些基建的效率很高，那沒問題，將來就還能把錢還回來，但是實際不是這樣的，大部分投資的基建效率都非常低。

袁　莉：而且愈來愈低。

許成鋼：對，所以在金融危機之後，中國經濟就出現了很嚴重的問題：一個是槓桿率過高；一個就是嚴重的需求不足，

當時叫嚴重的產能過剩。一方面是非常高的槓桿率，不斷的大規模投資，然後產能就愈過剩，進入了一個惡性循環，這個 2012 年之前看得清清楚楚了。

如果要解決這些問題，實際上要觸碰到一些非常基本的制度問題，都不是經濟政策問題，調整經濟政策只能暫時緩解一下。

那麼為什麼說它是基本經濟制度問題，原因就在於真正推動中國經濟增長的力量是私營企業，但是私營企業在中國遇到的困難愈來愈大，金融危機以後，大規模的公共開支、公共建設裡邊都有非常明顯的「國進民退」現象。在這樣的情況下，你怎麼還能讓私營企業健康發展？

私營企業實際需要的是制度上對他們的保護，絕對不是所謂的政策傾斜問題。不需要政策是傾斜的，但需要法律是公正的。中國缺少的不是對民企的政策傾斜，因為它沒有可能傾斜，中國需要的是法律是公正的，是能保護私有產權，能保證合同是能執行的。

雖然 2004 年修改了《憲法》，明確保護私有產權，但是在任何國家保護私有產權，都不是單純地在《憲法》上寫一條

就能起作用的。除了共產黨國家以外，世界上幾乎所有國家都在憲法上寫明瞭保護私有產權，但真正能夠保護私有產權的只有那些發達國家，所有的不發達的國家之所以不發達，歸根結柢的原因是他們沒有能力保護私有產權。

為什麼他們沒有能力保護私有產權？是他們自己制度上的問題。所以中國要改革的，就是一方面《憲法》上寫了保護私有產權，另一方面必須要有整套制度來保證《憲法》上的這條規定是真的能執行的。

那麼，下面的問題是什麼？第一個重要的問題就是司法必須獨立。為什麼司法必須獨立？就是因為只有獨立的司法才有可能是公正的。司法獨立是司法公正的必要條件，不是充分條件。只要司法不獨立，它就沒可能是公正的。所以當司法不獨立的時候，司法是歸黨管的，所有國企是歸黨管的，所有的土地是黨控制的、國家所有的，那麼司法在做判斷的時候，它就有它的傾向性，一定是會先傾向於保護它自己的機構、保護它自己的資產，對別人的資產，往最好了說是不太關心，往不好的說，它甚至可以幫助國有力量或者黨的力量來剝奪私有財產。

還有合同的執行。合同本來是企業和客戶之間的事，但只有

司法是獨立和公正的，才能保證當初簽的合同是能真正按照合同規定的方式去執行的。在中國，由於司法不獨立，所以合同的執行從來都有問題。所以方方面面都對民營企業不利，在這種情況下它就阻礙了中國經濟的發展。這只是制度問題的一個方面。

那麼制度問題的另外一個非常大的方面，就是中國所有的土地都是國有的，中國幾乎所有的銀行都是國有的，這種情況實際上就也產生了一系列的弊病。

袁　莉：既然說到土地，我們就說一下房地產，您能不能從房地產產業近幾年遇到的問題，來談一談中國經濟增長遇到的問題到底有多大，為什麼會出現這些問題，有沒有解決的辦法？這裡面就牽扯到土地問題、資金問題，還有所謂的「國進民退」，因為房地產業以前其實是一個非常以私企為主導的非常活躍的產業，現在最大的這些房地產公司幾乎都是國有的，然後這些最大的私有的房地產公司很多都遇到了很嚴重的債務問題，您能不能說一下這個問題到底有多大？

許成鋼：實際上中國是從 1998 年開始房地產市場化的，當時無論是國內還是國外，經濟學界普遍都有一個誤解，就是誤解了國有土地條件下這個市場的性質是什麼。實際上，在

1998 年的時候開始了房地產市場化的時候，有一個很重要的基本政策變化──中央政府的財稅政策出現了變化，要把財稅的權力大幅度地抓回到中央手裡去。[30]

在這之前，中國是以地方收稅為主，然後地方再把一部分收來的稅交給中央。那麼分稅制改革，是讓地方拿小頭，中央拿大頭。當時這個改革方案是世界銀行設計的，但世界銀行在設計改革方案的時候，就已經誤解了中國的土地制度，它雖然表面上知道中國是國有制的土地，但沒有意識到這個是多麼深刻的一個問題。

世界銀行的改革方案是很膚淺的，它基本上就是要中國模仿美國的聯邦稅跟地方稅之間的關係，但這是完全對中國情況的一個誤解。為什麼？我剛才在講中國從大躍進和文化大革命的時候，就已經把制度改成了一個我稱作為「向地方分權的極權主義制度」。這什麼意思？就是首先它的基本制度是極權主義制度──就是黨控制一切，黨控制所有的人事、控制政治、控制意識形態，但是它把資源和行政下放到地方去了，所以全中國的絕大部分的行政都是地方做的，所以模仿美國是完全錯誤的，美國絕大部分的內容是私營企業做的。

---

30 指的是 1994 年開始實施的分稅制改革。

無論是聯邦政府還是地方政府，在經濟裡的份額都很小，他們做的只是公共服務，但中國根本不是這樣子。

中國的絕大部分資源在各級地方政府手裡，原因是地方政府要為地方的經濟負基本責任的。而在美國的地方政府對經濟並不直接負什麼責任，對吧？它只是提供地方的公共服務而已。在中國，公共服務和經濟中間沒有清楚界限的，所以這個（改革方案）就是完全錯誤理解了中國的問題所在。

當他這樣改了之後，由於中國的絕大部分的行政都是地方做的，而所謂的行政包括了絕大部分的基礎建設，所以中國的絕大部分基礎建設都是地方政府做的，然後你中央政府把錢拿走了以後，全中國的基礎建設是不能進行的。

所以如果真的是按照美國的稅法來改中國的稅制的話，中國經濟就停止了，所以當時採取的辦法就是開放土地市場。

開放土地市場靠的就是土地國有制，基本想法就是說，稅收的大頭中央都拿走了，那麼地方怎麼解決自己的財政收入？既然土地是你的，你就想辦法賣地或者租地，那好了，馬上這問題就來了，當我們討論到房地產市場的時候，我們現在在中國看到的房地產市場是有一個獨家壟斷的土地供給者，

這和世界上任何別的國家都不一樣，當它獨家壟斷的時候，一定要追求收益最大，追求收益最大的定價的方法就是一定要減少供給，用減少供給的方式把價抬上去，這樣才能夠最大化收益。

於是自從 1998 年開放房地產市場以來，（地方政府的）整個操作就是通過控制土地供給的方法來抬高地價，進而獲得財政收入，所以人們把這種制度叫做土地財政。土地財政根源實際上是土地國有制，沒有土地國有制這個政策就沒有根子了。而只有不斷推高房地產的價錢，才可能用土地作為財政收入的基本手段。

所以最後積累下來的結果，就是變成了如果我們按照房地產的價格和居民收入比例來看的話，那麼中國就是全世界房地產最昂貴的國家，最昂貴的房地產的國家就意味著大量的財富都進到土地手裡。而所謂進到土地手裡，就是進到政府手裡了，這就決定了普通人和政府的財富分配，私營企業和政府的財政分配等。政府手裡的很多錢是從土地來的，而所謂從土地來的，實際上是從居民那裡來的，從私營企業那來的。

那麼房地產市場是以土地財政為基本目的推動，當然是不可

持續的，房價昂貴到這個程度一定就不能繼續了。所以當我們講到很多當前看到的巨大問題的時候，背後都是有一些最基本的問題，然後從這再引起來的一些比較具體的問題。地方政府在土地財政方面製造出來一個巨大的陷阱或者叫定時炸彈──就是地方政府欠的錢。

在全球金融危機的時候，當時中央政府提出來要有四萬億財政刺激，實際後來執行的是達到了差不多十萬億。當時在提四萬億的時候，中央就說得很清楚，中央出一萬億，地方自行解決三萬億，最後實際弄出來了差不多十萬億，中央基本上出的就是一兩萬億，其餘都是地方政府弄出來的。地方政府怎麼弄出來的？這就是問題所在。地方政府就是靠把土地用一個特殊手段放到銀行裡去做抵押，在銀行借出來的抵押貸款，這個特殊的辦法就叫做「地方融資平台」，所謂的「地方融資平台」實際就是一種特殊的國有企業，它就是個空殼企業，地方政府把一部分的土地撥給這個空殼企業，再注入一點點的現金給他，於是它拿了土地和資產負債表就去銀行去借錢，是用這個方式借出來的。為什麼要強調這一點，就是說自從那個之後，地方上的這種融資平台大發展，所以早在許多年前統計上就已經知道，地方融資平台用抵押土地的方式借出來的錢就已經達到差不多五十萬億，就好多年前，後來這個數據再也沒有了，沒有辦法更新，沒有人再能得到

數據了。

所以沒有人知道，現在到底地方融資平台和地方國企用土地抵押欠多少錢，但是我們知道很多年以前就已經欠了差不多五十萬億了。為什麼要強調這個問題？原因就在於現在幾乎所有的地方政府全是非常高的赤字，全是非常高的槓桿率。

通常人們在講金融安全、財政安全的時候，看的是槓桿率，但是實際上槓桿率只是許多指標中的一個，不能只看槓桿率，還要看他借的債是什麼性質的債。如果是長期債券借的債，只要還沒到期，你就不需要擔心會有危機，但是如果你是短期債券，當它要到期的時候，你就要關心。

抵押貸款是最壞性質的債，為什麼？原因就是因為抵押貸款是拿你的資產做抵押，放到了銀行的資產負債表上了，那麼當你的抵押的資產在市場情況不好的時候，抵押資產的價值會下降，當整個的市場都變壞的時候，整個的抵押價值全都跟著下降，這時候銀行就會出問題。

銀行為了保證自己不至於資不抵債，它就會要求貸款方趕快還債，你如果不還，要麼就是你破產，要麼就是銀行破產。中國大量政府的債是抵押貸款，原因是因為它是國有的，所

以他認為他可以這麼幹。那麼他反過來給整個的金融體系、銀行體系帶來非常大的壓力。

袁　莉：為什麼中國的私人消費佔GDP的比重總是上不去？比如說去年中國的比重是38.5%，美國是差不多70%，歐盟是50%，日本是56%，中國要想提振消費，需要做一些什麼？大家為什麼不願意花錢？是沒有錢可花，還是不願意花錢呢？

許成鋼：是收入低。中國的最大的問題是收入低，而收入低最大的問題，其實就是剛才講的所有制的結構帶來的。它的所有制的結構決定了政府國有企業拿到了大人的份額。在改革開放前三十幾年裡，由於增長速度很快，雖然普通民眾的收入佔比例很低，但所有人的收入還在一直上升。但實際上，民眾的收入佔GDP的比例，從1995年一直到最近幾年之前，一直持續是下降的，直到最近這幾年才不下降了。如果說有上升的話，也都是一種調整性的波動，但是在之前比例一直是下降的。

其實大家不需要知道多少經濟學知識都很容易瞭解，最簡單的角度就是，你去關心公開宣佈的經濟增長速度和財政收入的增長速度，你就會發現，每一年的財政收入的增長速度都

高於當年的經濟增長速度。那這就已經清楚告訴我們它分比是怎麼分的——每一年都多分給政府一點。

而且官方宣佈的政府的財政收入，還只是財政收入的一個部分，只是正規的稅收，土地收入的大頭都不在那裡頭。這樣持續地政府多拿、民眾少拿，所以當它的基本分配政策是這樣的時候，你無論採取什麼措施，也決定了消費不足。

袁　莉：對，您主要是研究轉軌經濟學的，您提出中國改革改的是政府和市場關係的邏輯，市場經濟發展的前提是憲政民主，在過去十年的中國政府愈來愈強調做大做強國有企業，憲政民主更是變成了敏感詞，您如何評價？

許成鋼：實際上我們如果用政治學的方法來劃分制度的話，一類的制度是民主憲政的制度，所有的發達國家都是民主憲政的制度；還有一類的制度是威權主義的制度，還有更極端的一類是極權主義的制度，中國是屬於極權主義的制度。在改革開放開始以後，中國曾經把極權主義制度放鬆了一些，所以一度中國也朝著威權主義方向演變了，所以可以說中國一度變成了威權主義制度。

那麼威權主義制度和極權主義制度的差別在哪？就在於威權

主義制度是允許黨能控制的有限的多元化。

有限的多元化就包括了經濟的多元化，你有真正的私營企業，真正私營企業的意思就是說黨是不能控制的，黨把它控制起來它就不是私營企業了；然後有真正自主的非政府組織，人們自己可以發表自己的言論，但威權主義就意味著它是有限制的，並沒有充分的言論自由，但仍然存在著不被黨控制的意識形態，以及組織、學校以及教學大綱等。但這十年就完全倒回去了，把曾經存在過的、好不容易發展起來的一點點有限的多元化全部給它搞掉，就是重複毛澤東過去講過很多遍的「黨政軍民學，東西南北中，黨是領導一切的」。

當黨把所有東西全管了的時候，它就是極權主義。所以他（習近平）走的方向是和民主憲政正好反過來——原本是靠著要推動民主憲政來幫助中國的改革，你正好反過來，那麼如果你把這叫「改革」的話，就是一種「反改革」了。

袁　莉：我真的沒想到您現在已經把中國定義為極權主義，如果是您這麼定義的話，比如說像中國的這些比較大的私企，像阿里巴巴、騰訊這些公司，我覺得他們也不能說完全是被政府控制的，您怎麼看？

許成鋼：「黨是領導一切的」不是一句空話。無論你是作為企業家也好，還是你的企業也好，你必須承認、也必須接受黨的領導。在經濟學裡，「產權」是很重要的概念，什麼叫做「產權」？「產權」就是最終的控制權。

很多人對「產權」有個誤解，把「產權」給誤解成為是一系列的權利，所以認為很多的權利都在你手裡，這是個誤解。「產權」的真正的含義是財產的最終控制權在誰手裡。因為除了最終控制權之外，所有其他的權利是可以用各種各樣的辦法委託出去的，讓別人來替你做，但你只要把握住了最終控制權，那麼替你做的人不過是你的機器而已，所以最終控制權在誰手裡，才是決定性的。

袁　莉：大家現在都覺得經濟當然是很差了，但是還有不少人覺得雖然中國經濟出現了很大問題，但是底子在那，同時政府手裡面有很多資源，比如說土地國有銀行，還有對整個國家的絕對的操控，所以說經濟也不至於一下子非常壞，即便壞也會經歷一個長期的過程，您怎麼看這個說法？

許成鋼：對，是這樣子。實際上任何的經濟如果是突然間發生大問題，通常用語就叫「崩潰」了，突然間發生大問題，一定不是一般的經濟增長問題，一定是危機。

危機指的什麼？就是金融危機、財政危機、經濟危機。比如說金融危機可以觸發財政危機，財政危機觸發金融危機，這兩個的危機觸發經濟危機，那麼在發生危機的情況下，它可以突然垮掉。中國會不會發生嚴重的金融危機，會不會發生嚴重的財政危機，並由此觸發嚴重的經濟危機呢？這個是一個可以辯論的問題。

我們剛才講到的中國的一系列的事情，實際上裡邊就包括了金融危機和財政危機的一些條件，我這裡可以再簡單地概述一下這個條件是個什麼狀態。第一，因為討論到金融危機，一般最容易看的最大因素是整個經濟的總借貸的數字，看積累出來的總借貸數字和 GDP 的比例。雖然這個數字實際上有不同的計算來源，數字可能會不一樣，但去年、前年國際間非常有信用的機構，計算中國的總債務佔 GDP 比例已經是 300％了。

300％是個什麼概念？這不是最危險的情況，但是相當不好的情況。會不會觸發金融危機，就視乎你的債務是不是馬上到期和債務的性質。

剛才我為什麼要強調中國的債務裡有大量的抵押貸款，這就是性質。抵押貸款裡邊包括了房地產的抵押貸款和股票的抵

押貸款，這些債務受經濟週期影響很大，就是經濟週期愈好，你的情況就愈好，經濟週期愈壞，你的情況就愈壞，這就是中國的債的基本特點。那麼這個告訴我們，中國觸發金融危機的危險是大的。

還有另外一個方面，你的債裡邊有多少是內債，有多少是外債？然後外債是什麼性質的債？或者說有多少外資在你這兒，然後這個外資是什麼性質？當你的情況不好的時候，外資突然從你這個國家、從你的經濟裡邊抽出去了，就會助長你所有的壞消息，那麼經濟就愈壞，進入惡性循環了。

如果你的外資都是固定投資，固定投資抽不出去的，你就不用怕，廠子放在你這，就是發生了什麼也跑不了，所以它不會影響你的金融帳面上的事情。但最近這些年進來了大量流動的金融，這些錢說走就走，所以最近幾個月就發生了：當美元更值錢、人民幣更不值錢的時候，人民幣降息就觸發匯率往下跌，那匯率往下跌，外資就往外流，如果大規模外資往外流，再有其他的壞消息跟在一起，會幫助觸發金融危機。

過去很多的金融危機是這樣產生的，就是外資一下流出去，金融危機就來了，所以中國實際上面對很多這些危險。

袁　莉：但是並不見得真的就會發生，是不是？

許成鋼：所有跟危機相關的事在沒發生之前，人們都可以這樣說，但只要它還沒發生，沒有任何人知道它什麼時候會發生。

所以，我們可以知道的是，這個條件一旦觸發了，可能發生什麼事情。這個分析很像討論地震，就是沒有人知道什麼時候地震，但是地球物理學家可以告訴你，這個地方很薄弱，這個地方很可能出地震，一旦出地震可能是什麼狀態，有多少能量會出來，這是可以算的──經濟學只能走到這一步，但沒有任何人能預測到它在什麼時間發生。

通縮下的中國會重走蘇聯的老路嗎？

節目播出時間：2023 年 8 月 12 日

訪談要點：

◆ 解析通貨緊縮的概念

◆ 分析當前中國通貨緊縮產生的原因

◆ 解析中國的樓市政策轉變和房產泡沫產生的原因

◆ 比較當前中國和日本上世紀八十年代末、九十年代初經
  濟狀況的異同

◆ 比較中國和蘇聯經濟發展模式的異同

◆ 預測未來中國經濟可能面臨的走向

◆ 中國決策層對於當前經濟狀況有清醒的認知嗎？

◆ 如果中國經濟面臨長期衰退，普通人可以做什麼準備？

袁　莉：許老師您好！我們這次主要是講「通縮」，還有中國經濟的前景。您能不能先跟我們解釋一下什麼叫通貨緊縮？通縮一般會伴隨著什麼樣的經濟和市場現象呢？

許成鋼：通貨緊縮，正好是通貨膨脹的反面。通貨膨脹指的是物價上升，通貨緊縮指的是物價下降。物價下降，從消費者角度看上去好像是好消息；但實際上呢，由於在發生通貨緊縮的時候，人們就會等著它再下降。如果所有人都等著它下降、下降、再下降，沒有人花錢，那就糟了。

所以通貨緊縮，從經濟政策和貨幣政策上講，通常認為這是最大的威脅。就是當發生了通貨緊縮的時候，經濟學家討論時通常會說，就會發生「流動性陷阱」。「流動性陷阱」的意思就是沒人花錢了，都不花錢，都不借錢，那就陷在裡頭出不來了。通貨緊縮的時候可以尋找的政策手段，哪怕是在發達國家裡也很少，就是非常非常困難。所以，所有的市場經濟國家、發達國家，都最害怕通貨緊縮。

從經濟學講，通貨緊縮是從哪裡來的呢？教科書上會說，無論是通貨膨脹還是通貨緊縮，都屬於貨幣現象。所以，它說引起它（通貨緊縮）的來源是貨幣。這個人們不能夠太教條地去看，因為它的解釋——無論是解釋通脹還是通縮——用

這個方式去解釋，其實背後是有一個公式，它是從那個公式來的。而那個公式，它是說實際在市場上流通的流動性，大體上相當於基礎貨幣乘上一個系數。系數背後的東西是什麼呢？經濟學家管那個叫做傳遞機制。傳遞機制的意思就是，它怎麼把基礎貨幣傳遞到實體經濟裡去。

傳遞機制這個系數，是個黑箱，所以通常經濟學家假設那個系數是個常數。那怎麼決定流動性在市場上的情況呢？就是由基礎貨幣決定的。但是實際上，這個系數並不是常數。而且，當我們討論不同的經濟的時候，由於制度的不同，這個系數都很不同。

中國的這個系數，跟所有的發達國家比是非常非常低。現在發生的所謂通貨緊縮，就是系數從本來就很低、忽然之間降到更低。實際上，中國這個基礎貨幣的供給就沒有減少，而是在上升。在基礎貨幣上升的情況下發生通貨緊縮，實際上是這個經濟制度自己出了問題。

袁　莉：您認為中國已經發生了通縮，它是從什麼時候開始的呢？是由什麼引起的呢？

許成鋼：這個現象開始發生，大體上是從疫情結束的這個時

間開始。實際上很可能在疫情的尾期就已經開始了。大家大概還都記得當時的「動態清零」有多麼的殘忍。就是這個非常非常殘忍的「動態清零」，一下子把中國的需求、全社會的需求，給大幅度壓縮下去了。本來中國經濟就存在嚴重問題，然後突然之間，中國自己的政策把中國的需求大幅度給壓下去。那麼這一下壓下去以後，就觸發了通縮。

在它剛觸發的時候，人們還可以辯論通縮是不是產生了。實際上，人們看到的，就是物價迅速地從通貨膨脹開始往下減，一直在往下減，減到現在，基本上已經不需要辯論了。如果還要辯論，人們會辯論我前面講到的教科書的定義——就是它（目前的現象）是不是符合教科書定義？實際上，去看教科書的定義，在這兒沒有什麼價值的。這裡最重要的問題就是：是不是中國的物價在下降？然後，和中國的物價普遍下降合在一起的，是不是整個社會需求在下降？那麼這些都是已經不需要辯論的，都是基本事實。

下面的問題就是，人們需要討論這些基本事實是什麼東西產生的、它的後果是什麼。

通貨緊縮的時候，都是全社會的總需求下降，這個是沒有例外的。哪怕是連貨幣主義學派討論早期美國的通貨緊縮、

三十年代的緊縮的時候，雖然他們強調是基礎貨幣的供給下降，但實際上當時和基礎貨幣下降密切（聯繫）在一起的最基本的社會現象，就是由大蕭條帶來的總的社會需求下降。總的社會需求下降，實際上是整個經濟的基礎面帶來的；當沒有需求了，那麼物價就下去了。

現在中國發生的這個非常嚴重的現象，就是如果我們把需求分成兩面（來看），一面是消費需求，一面是投資。在中國，消費的需求本來就相當低，就是由於中國的家庭收入佔GDP的比例太過低而帶來的。當貧困的人太多的時候，總社會需求就不足。

原本消費需求就很低，在「動態清零」的時候又大幅度壓縮了中國的直接的需求，以及商業的活動。商業活動大幅度下降之後，就產生很多很多的解僱。大量的農民工就沒工作，被迫地就得回家鄉去了。所以整體的消費需求下降，同時商業活動大幅度地減慢。

如果我們看去年中國的物流數據——因為官方的 GDP 數據相當的不準確——所以如果我們取代 GDP 數據，換成物流數據，那可以看到：在 2022 年，就是「動態清零」的一整年裡邊，實際上中國的物流是下降了超過 10％。當全國

的物流下降超過 10％的時候，我們知道它直接對應的就是 GDP 實際上是下降的，而不是官方公佈的 3％的正增長。

整個 GDP 下降，說明了什麼？一方面是前面講到的、消費的整個的下降；還有一方面，就是所有的商業活動都在下降，投資都在下降。這一定是要有後果的。所以，從去年的年底開始發生的顯然的物價下降，是直接和前面那一年的 GDP 的負增長連在一起的。實際上，基本面是負增長，把物價給拉下去了，整個社會的總需求卻沒有提高。

另一面就是出口。中國的出口，最近這幾個月以來也在大幅度地下降。無論官方數據如何講，國際貿易就已經是中國政府沒有辦法掩蓋的了。因為從各國（包括 WTO）最近發佈的數據都可以看到，中國的對外貿易的數據，無論是進出口、進口還是出口，除了對俄國以外，對幾乎所有的、世界各地的國際貿易都大幅度下降。

國內總需求下降，國際貿易大幅度下降，當然就帶來了物價的全面下跌。那麼物價的全面下跌最後表現出來的現象，就是人們稱它為通貨緊縮。但實際上中國政府並沒有真的緊縮它的貨幣供給。中國政府、中央銀行（即中國人民銀行）實際上一直非常努力地在增加貨幣供給，但是增加的貨幣供

給，掉到所謂的流動性的陷阱裡去了。

流動性的陷阱是什麼意思呢？就是你增加貨幣供給，已經沒有辦法讓這個貨幣進入基本面，而貨幣自己在銀行系統裡打轉轉。打轉轉是什麼意思呢？就是你發出來的貨幣，人們把它存進去了。所以任何人都發現，我就害怕我手裡沒現金。本來照理說，如果我們看儲蓄，實際上儲蓄的數字並不是太少；但是，無論是家庭也好，還是企業也好，都非常非常珍惜他們手裡的現金，都把拿到的現金存到銀行裡去。所以這樣子，絕大部分增加的貨幣供給又都回到銀行系統裡去了。那麼這就是所謂的「流動性陷阱」，陷到裡頭以後，貨幣政策不再能夠起作用，來幫助經濟恢復。

袁　莉：對，而且六月以來，人民幣數次貶值，還有一些高利率的存款項目被銀行取消了，就實際上是政府希望大家把錢拿出來花，不要都存到銀行裡面去，對吧？這算是政府響應通縮的一個手段嗎？

許成鋼：這個在某種意義上說，是個手段。從另外一個意義上說，也是因為中國的銀行都是國有銀行，它發現了在通貨緊縮的情況下，你還付人家利息，那不是賠錢了嗎？所以它不能再付利息了，它不能賠這個錢。

袁　莉：是。而且我剛才也跟您分享了一篇彭博社今天剛發的報導，就是中國政府告訴一些經濟學家，讓他們不要在報告裡面談通縮，這就進一步證明這個事情肯定是真實的，對吧？它不想讓大家說的事，肯定就是已經意識到是一個嚴重的問題了。

許成鋼：是這樣。一方面，它是不希望被人報導，還有另一方面，它很害怕。因為但凡知道金融的人，都認為通貨緊縮是個很可怕的事情。一旦通貨緊縮了，你掉到那個「流動性陷阱」裡以後，哪怕是用發達國家的情況來對比，它也知道這個地方的經濟短時期裡拔不出來了，所以外來的投資就會進一步減少。經濟學裡有個詞叫 self-fulfilling equilibrium，意思就是說，你覺得它好，它就變得好；你覺得它壞，它就變得壞，就自己愈變愈壞。

袁　莉：中國經濟的一個很大的支柱就是房地產。現在，房地產交易也呈現了下降的趨勢。習近平過去一直都說「房住不炒」，在最新的政治局會議中，這個提法就消失了，有人認為這代表的就是習近平政府對房地產的態度將要發生轉變。您能不能講一講，中共為什麼曾經要重打房地產，現在又突然要改變對房地產的態度？以及現在改變，是不是已經為時過晚了呢？

許成鋼：對，是這樣。習近平對市場經濟是一竅不通。他有兩個大問題，第一個大問題是：他並不是最在意經濟，他更在意的是顏色革命，所以他是要保江山、防止和平演變。大的房地產公司，只要是私營的，他心裡都充滿了要麼是仇恨，要麼是警惕。因為他懷疑這些都是和平演變和顏色革命的基地。第二個大問題就是，他對這個市場經濟是一竅不通的。

所以這兩個因素合在一起，他想說的就是：住房這個東西不應該成為資本家投機倒把發財的手段，而是應該是解決普通人的居住的手段。解決普通人居住問題，你也可以把它翻譯成是基本面，就是似乎是他關心的基本面。但實際上，在任何的市場經濟裡，住房都既是消費、又是投資。所謂的「炒」，指的就是住房作為投資工具的那種屬性，在任何的市場經濟裡，住房都是最重要的投資工具之一。

還有另外一面，就是中國實際上房地產業產生非常大的泡沫，而產生巨大泡沫的最大原因，是土地國有制度。只要國有土地制度不改變，實際上巨大泡沫的問題也就沒有辦法改變。

所以在這個背景下，他講的那些話是以為在土地國有制和共

產黨能控制所有一切的情況下,想做什麼就能做什麼。但是他不知道,因為中國經濟已經一部分變成了市場——它不全是市場,但一部分是市場——只要有一部分是市場,在市場的那個部分裡,市場自身的規律性就起作用了。土地全面國有制情況下,它製造出泡沫的時候,就必須要有辦法來應對這個泡沫,而不是講這樣子的話。那麼現在,實際上這個泡沫正在破裂的過程中,它採用的辦法,是用各種各樣的方法在事實上凍結了房地產的市場。凍結的意思就是有價無市,因為它不允許房地產降價,(那麼房子)就賣不出去。

還有就是剛才講到的「流動性陷阱」。「流動性陷阱」來了以後,無論是投資還是消費,在看跌的情況下,所有人一定就是等它跌得更低。那作為投資,再過幾天更便宜的話,我一定今天不投資,等到明天、等到後天;等到明年、等到後年。所以大家都是觀望態度,這是往最好的講。

往更不好的地方講,就是人們實際上很害怕、很擔心。在過去的「動態清零」背景下,人們害怕丟了工作,害怕企業要垮台。所以在這種情況下,如果我沒有儲蓄,我將來怎麼辦?我失業了怎麼辦?我的家人失業了怎麼辦?大家在害怕的時候,一定就加強了儲蓄,所以進一步加強了這個「流動性陷阱」的深度。「流動性陷阱」愈變愈大,愈變愈深,就

陷在通縮裡頭出不來了。

袁　莉：有人認為，中國現在的情況像日本一樣，因為是通縮引發嚴重的經濟危機，從而陷入長時間的經濟低迷。但您認為日本不是最合適的參照對象，在您看來，更合適的參照對象是哪些國家？

許成鋼：如果我們看表面，就是有通縮，有房地產市場的泡沫，然後泡沫破滅，產生通縮，然後有失業、消費價格下降等，這都和八十年代末、九十年代初的日本有非常相似的地方。

但為什麼說這個事情跟日本實際上還是相當的不一樣呢？有兩個最大的原因。

第一，最大的不一樣，就是基本制度不一樣。中國的基本制度，我把它叫做共產極權制。共產極權制就是通常中國人會管它叫社會主義制度，或者叫做中央計劃經濟。我之所以要換一個詞，是因為過去的這些概念不清楚，概念不清楚就會造成很多的誤解。

實際上中國的制度在共產極權制上做了一些改革，但是這些

改革並沒有從基本上改變了共產極權制的最基本內核，這就使得中國的制度和日本有了重大的基本差別。日本的制度是一個民主憲政下的市場制度，中國則是混雜市場成分的共產極權制。

在共產極權制下，在保證全面的國有土地制、全面的國有銀行制的背景下，有了私有企業，有了市場經濟。但這個市場經濟裡的最大的兩個成分──土地和銀行，都在政府手裡。人們需要知道「國有」是什麼意思，它是個極權制下的「國有」，就是共產黨控制一切，包括控制私有企業。為什麼私有企業害怕？為什麼私有企業不敢投資了？它們的行為和日本企業是不一樣的。日本的企業是在計算它今人的成本，明天的成本、將來的成本；中國的企業不是單純在算成本和利潤，它還要算共產黨要對它怎麼樣。共產極權制下雖然允許私有企業運作，但實際上私有企業連一寸土地都沒有。

第二個不同，就是日本是一個民主憲政的市場制度。八十年代末，它的人均 GDP 水平已經達到了美國的 80%。換句話說，就是它已經進入到了世界領先的程度，已經進入到全世界的科學、技術、經濟的最前沿了，是在這個情況下產生金融泡沫，房地產泡沫等。那麼和中國作為一個中等收入國家，政府人工製造了巨大泡沫的性質是不同的，後果也不

同。過去人們願意講的一句話叫「中等收入陷阱」，實際上
「中等收入陷阱」不是一個很確切的表達方式。但中國的確
就進入了「中等收入陷阱」，原因是因為中國的制度帶來的，
這個制度是一個陷阱，中國在發展到這個程度的時候，就陷
在裡頭出不來了。

那麼，當我強調中國和日本的制度存在巨大差異的時候，我
想要有意識地再討論一下，什麼樣的制度跟中國最像呢？實
際上中國的共產極權制是來自於蘇聯，它根本不是從中國古
代演變過來的，這是最基本的事實。

雖然經過了四十多年的改革開放，但這個最基本的制度沒有
變化。「東南西北中，黨政軍民學，黨是領導一切的」，就
是今天中國的制度。在這個制度下，我們必須知道當年蘇聯
和東歐，為什麼它們的經濟改革改不下去？原因就是共產極
權制自身的陷阱，就是走到這個程度的時候，大家都會陷進
去，它不是中國特有的。

**袁　莉：但中國這些年的經濟發展和這些國家還是有很大
的不同，對不對？中國還是有——不管是我們可以叫它什
麼——有中國特色的社會主義，它還是有一些比較有活力的
私有企業，是吧？**

許成鋼： 對。中國的改革在經濟快速發展的這個階段，表現得和蘇聯、東歐共產黨國家的改革非常不一樣，背後有兩個最大的原因。

第一，就是國內的民營企業。沒有國內的民營企業在改革開放時期的大發展，就不存在我們看到的這麼巨大的變化。另一個，就是中國和發達國家之間的密切關係。伴隨著改革開放，中國一度跟所有的發達國家都有非常緊密的關係。依靠這個，中國從科學技術、商業市場的運營方式，所有方面都是直接從發達國家複製來的。發達國家的企業直接在中國運營，實驗室在中國運營，直接把各種技術帶到中國來，使得中國勞動生產率大規模提高。

似乎有了這些不同後，中國跟蘇聯、跟東歐就在性質上有不同了。但為什麼現在會變這樣呢？

最簡單的道理，就是因為它仍然是共產黨全面控制的社會。只要這個因素不變，剛才講到的所有這些因素都可以消失。共產黨覺得這些因素對共產黨的統治有好處的時候，它可以容忍你，讓你發展；但當共產黨擔心顏色革命，擔心資本主義復辟的時候，這些東西就是資本主義。

人們以為中國跟蘇聯、東歐不一樣，但只要它是共產黨執政，就是一樣的。共產黨就是共產黨，共產黨不能夠容忍資本主義發展，他們只能讓資本主義在黨的控制下去發展。但是資本主義認識到了共產黨不允許它發展的時候，還能發展嗎？所以現在在中國發生的，就是資本主義因素在迅速消亡的過程中，國有企業在迅速地擴大之中。或者換句話說，中國過去有句老話叫做「國進民退」。

袁　莉：這個「國進民退」講了十幾二十年了。

許成鋼：對。當時講的「國進民退」，實際上「民」仍然在進，只不過它「進」的時候愈來愈受阻礙。但最近這幾年是真正的「國進民退」。那麼，真正國有的東西要反過來控制中國的經濟的時候，那是什麼經濟呢？那就是蘇聯經濟，就是東歐的經濟。實際上，現在它是把軌道給返回老式的共產極權制的軌道上去了。

袁　莉：但對於外界來說，大家還是認為中國還有阿里巴巴、騰訊，中國的電動汽車業、電池業、太陽能光伏產業還是很厲害。如果你聽從北京、上海來的朋友說，很多餐館還是有很多人的，還是有很多市場經濟的因素在那。您能不能說一下，我們要怎麼看待這樣一個表面平靜的經濟劇變呢？

許成鋼：對，它是這樣。中國很大，中國經濟很大，貧富差別也很大。所以在最富裕的幾個地方──實際上整個上海已經問題很嚴重，北京的問題也很嚴重──但是你在上海仍然能找到熱鬧的地兒，北京也還是能找到熱鬧的地兒。如果你每天只在熱鬧的地方待著，不會看到整個經濟的狀況是什麼。

我們前面已經討論到，中國對外貿易迅速下降，而這裡面下降得最猛的是和最發達的國家（之間的貿易），中國跟美國、日本、德國的外貿都出現了大幅度下降，這是有重要含義的。中國過去不僅是市場經濟上有很發達的部分，就連技術上也有很多發達的部分。如同你剛才提到的這些個例子，如果我們要往回追，它的核心技術從哪來的？非常清楚，沒有例外，所有這些核心技術全部來自發達國家。現在我們看到，第一是中國和發達國家的貿易大幅度下降了，第二是他們基本上不願意來中國投資了。

現在才剛開始，等到再走三年下來，中國在技術上跟他們脫鉤──當然，中國還有大批從西方、從發達國家訓練回來的科學家、工程師，這些人都還能在中國起作用，至少能有五年、十年的作用可以起。但只要這個趨勢持續下去的話，中國在科學技術、商業等各個方面，就會跟西方國家真的脫開

了。一旦脫開，我們過去看到的那些發達繁榮的景象就都不復存在了。

這實際上是非常現實的一個趨勢，就是人們必須要看到，當這個趨勢變成了很殘酷的現實的時候，中國就真的回到了蘇聯、東歐的軌道上去了。現在是正在往回走，還沒全回去，但是是在往那個方向走。

袁　莉：那您能不能給我們展望一下，如果接下來往蘇聯、東歐以前的模式走下去，三年、五年之後中國經濟可能是一個什麼樣子呢？

許成鋼：預測是非常危險的一件事，預測基本上幾乎都是要錯的。

袁　莉：就從結構上來說吧。

許成鋼：大體上有三個可能。第一個大的可能性，是最樂觀的，就是發生了什麼事情，就像 1976 年 10 月那樣的事情。[31]

31　在毛澤東去世後不到一個月，發生的「懷仁堂政變」。

袁　莉：您說得也太隱晦了，就是「打倒四人幫」。雖然說是叫「打倒四人幫」，實際上是一個政變。

許成鋼：對，就是發生了 1976 年 10 月的這樣的事情。重大變化，有可能有一個重大的衝擊，給中國一個機會。當然，這個概率可能相當小，但是不能完全排除。

如果把最樂觀的、這樣的小概率事件放到一邊的話，那麼就是有兩個大的可能性。

一個大的可能性，是發生金融危機，引發財政危機、經濟危機、社會危機，產生全面的危機。實際上中國現在債台高築，槓桿率過高又通貨緊縮，消費嚴重不足。而且這個債的性質非常壞，大量的債都是抵押貸款。所有的這些合在一起，其實已經為中國爆發金融危機準備好了條件。一旦發生，後果可以非常嚴重，對全社會會產生很大的衝擊。這個衝擊之後會發生什麼，那可能性就非常多了，我就無法預測了。

這不是小概率事件，這個概率人們可以辯論，比如說 10 ％、20 ％。對我們討論概率和統計的人來說，通常 10％、20％就不算小概率事件了，確實是發生這種情況的可能性不是特別小。

那麼更大的可能性呢，是拖著，就是不在短期內發生危機。為什麼說這個可能性更大？原因就是因為中國不是市場經濟。如果中國是市場經濟，現在這個狀態，已經基本上知道它是隨時要發生危機。但因為它不是市場經濟，中國各級政府都有自身利益在房地產市場裡，每個地方也都有自己的銀行，所以，所有政府都在有動機地使用行政手段保住房地產市場，保住銀行。這個行政手段是可以防止、拖延危機的，可以把危機從今天拖到明天，明天拖到年底、今年底拖到明年，一直拖下去。為什麼呢？因為它可以讓市場不運作。

市場不運作，比如說房地產市場就是一個例子，有價無市，那麼房地產市場是不會垮掉的。但有價無市又產生了另一個問題——房地產公司的房子不用賣了，因為沒人買，房地產公司就要倒閉；那麼私有的、民營的房地產公司，會一個跟一個全倒閉，最後就只剩下國有的了。

這就是為什麼我要講中國的經濟要往蘇聯、東歐那邊返回去了。

袁　莉：就是私營企業的生存空間愈來愈小，是不是？因為它不可能貸款，不可能有政府的那些支持，對吧？

許成鋼：對。國有企業為什麼不倒閉呢？不是說它們財政情況更好，實際上是更壞。那為什麼它們不倒閉呢？這就是回到了蘇聯、東歐經濟的最典型的狀態，就是所謂的「軟預算約束」。它不倒閉的原因是「軟預算約束」，「軟預算約束」就意味著中國真的回到蘇聯那裡去了。最後這些前共產主義國家垮台的時候，就是「軟預算約束」給它們搞垮的。

袁　莉：您能具體說一下「軟預算約束」是一個什麼樣的概念嗎？

許成鋼：一個企業資不抵債的時候，它就得倒閉，市場經濟就是這樣的，這就叫「硬預算」。在所謂社會主義經濟裡，也就是共產極權制的國有經濟裡，企業資不抵債的時候卻不倒閉，就是「軟預算約束」。為什麼它不倒閉呢，就是因為它的債會由政府用各種各樣的方法替它揹著。

企業倒閉對於企業來說是大疼，但對於經濟是小疼。如果糟糕的企業一個一個都倒閉了，就是用相對小的疼，保證了整個經濟是健康的。但當「軟預算約束」佔據了經濟的時候，到處都是「疼」在積累，都積累在一起，就是癌症。實際上「軟預算約束」是一個經濟的癌細胞，在整個經濟裡邊，全部都讓癌細胞長上去了以後，這個經濟到最後就不能運作

了。

本來破產在市場經濟裡，是保證整個經濟能運作的最基本機制之一，但是國有制的「軟預算約束」保證它不破產，就保證了最後這個病在經濟裡全面蔓延。蔓延到最後，實際上整個經濟就無法運行，那麼中國過去享受到的一點點改革帶來的好處全部喪失光了，最後就返回蘇聯的路上去。

袁　莉：我還有一個疑問，就是中國政府對於經濟狀況到底有多麼真實的認識？因為似乎到目前為止，中國在官方層面沒有承認過它的經濟出了問題。官方的口徑一直都是「穩中向好」：（2023 年）上半年 GDP 增長 5.5%，雖然年輕人失業率很高，但公佈的失業率也就 5% 多一點點。雖然政府一直喊著要盡力搞經濟，但好像也沒有出台什麼特別實質性的政策。

我在想，是不是他們認為中國經濟其實還沒有到必須要付出巨大代價拯救的地步？您覺得中共自己對中國經濟整體的判斷是什麼？他們有沒有一套不一樣的數據呢？因為我們大家都看到、都覺得中國經濟出了挺大的問題的，但我們不知道，他們嘴上說的、和他們實際想的是不是一回事，或者他們掌握的情況和他們說出來的是不是一回事？

許成鋼：這是個非常重要的問題，大概得分成兩個方面來討論。

第一個方面，就是經濟數據本身。早在 2019 年，謝長泰（Chang-Tai Hsieh）等三，四個人就在美國國家經濟研究局（NBER, National Bureau of Economic Research）的 *Working Papers* 上發表過一篇學術論文——*A Forensic Examination of China's National Account*，就是討論中國 GDP 增速的數據。他們使用中國的微觀數據重新核算了一下，發現每年中國官方的公佈的 GDP 增速，減去 1.8%，就大體還是真實的。

這是 2019 年發表的論文，但到了疫情期間，尤其是去年（2022 年），這個情況發生了很大的變化。因為在過去，如果我們從專業的角度講，國家統計局的工作做得還是很認真的，它能保持趨勢是基本對的。但去年，因為 GDP 實際應該是下降，但是它仍然報告是正的，趨勢上就不對，自從這往後，它的數據就更不可信了。

另一方面，中國政府自己的經濟問題專家，或者就是說習近平的顧問，我們看到他們內部的講話，發現這些人愈來愈小心。愈來愈小心意味著什麼呢？就意味著不講真話。

這些人裡面，有些原本是相當明白發生了什麼。比如說其中的一位，早在 2014、2015 年就很悲觀。那個時候外界都對中國樂觀得不得了，他作為內部的人就很悲觀，就說中國經濟出了大問題了。我當時非常同意他的判斷，但在市場上幾乎沒有人知道這個判斷，但是如今他說的比當年要樂觀，這是什麼含義？這裡其實最重要的不是他說的是什麼話，而是這種轉變意味著他害怕。

當這些知道內情的人害怕、說瞎話的時候，或者他／她用含含糊糊的話誤導別人的時候，下邊麻煩就大了，對吧？大家想一想，普京為什麼這麼大膽去打烏克蘭？現在大家明白了，說他被人給騙了，就是人家告訴他說，他本事大，去了就贏。現在你可以看到中國的這些專家害怕，所以要說瞎話，那就麻煩了。所以這個是很重要的一面。

這個問題還有另一面。假定他們知道真實情況，他們用什麼辦法應對？

實際上我們可以看到，它（中國經濟）遇到了過去沒有遇到過的最大的困難，想不出辦法了。我為什麼這麼說呢？我們就看一看，在這之前，中國曾經遇到一次很大的危機，就是2008、2009 年的全球金融危機。

在那一次碰到全球金融危機的時候，溫家寶出來說，我們要搞四萬億的財政刺激。外界聽了覺得像胡說八道一樣，你哪兒來的四萬億？他實際上怎麼弄呢，他說：你們地方政府給我解決，解決不了，你就不要你的烏紗帽。於是省就去推市，市就去推縣，各個地方政府就是在那個時候掀起了房地產大高潮，用土地做抵押，從銀行往外借錢，就能一下子弄出九萬億。他說四萬億，結果是「大躍進」，超過了他的目標。這個就是當時的解決辦法。

袁　莉：現在不可以這麼做了嗎？

許成鋼：不能了。因為自從習近平來了以後，他就不斷地壓縮地方的權力，他已經把權力收回去了。實際上地方早在2013、2014年就躺平了，給他幹活太危險了。還有，即便是你讓地方政府弄，還能弄房地產嗎？房地產泡沫已經要崩了，你還拿這個能借錢嗎？

袁　莉：而且地都賣得差不多了。

許成鋼：對，所以他沒辦法了。他真的是碰到了前所未有的困難，你想替他想辦法也難了。

袁　莉：所以大家就説，他整天都在説，要全力抓經濟之類的，但從來沒有實質性的政策的利好，就是因為這個原因，是吧？他哪怕是説給企業真正的讓利、減税之類，其實都是非常小的一點點，對不對？

許成鋼：對。其實立刻就能幫他的是外資，那是最容易、最簡單的。但是他搞「戰狼外交」，把外資全部嚇跑了。

如果你突然之間讓外界認識到，中國是真的要變民主憲政，真的是要進入這個世界的秩序的，那實際上中國原本已經建立的、無論是貿易還是投資渠道都還在，恢復起來很容易，各路投資者其實都不願意離開中國。

袁　莉：是，那些投資者是最捨不得離開中國。

許成鋼：但他們怕抓特務。現在動不動説人家是特務，一切的手段都斬斷了你自己的經濟後路。這實際上是政治帶來的經濟問題，只有在政治上的全面改變，才能解決這個問題。

袁　莉：但是這個政治上全面的改變是不可能的，是不是？

許成鋼：對。

袁　莉：那如果未來中國要面臨一個漫長的衰退，普通人可以做什麼準備呢？

許成鋼：人們需要認識到過去經歷過的那個好時代過去了，這是非常肯定的。除非就是我剛才說的那個假設（指中國民主化），所有人都會認為是個笑話，如果不發生這樣的情況，好時代就過去了。

那麼好時代過去了，人們就需要瞭解當年蘇聯發生了什麼。不要簡單地認為中國跟蘇聯是截然不同的。中國的制度來自蘇聯，中國最後要損壞，也是損壞在來自蘇聯的制度上，損壞的原因跟當年蘇聯是一樣的。雖然中國非常幸運地曾經有過很多跟蘇聯不一樣的那些東西，但這些東西在蘇聯來的制度下，沒有辦法生存。

那麼最後，我們最關心的實際上是整個中國經濟怎麼樣，中國的普通人的生活怎麼樣。如果這樣發展下去，最後民營企業在中國經濟裡佔的比重就會逐漸逐漸下降，起的作用也愈來愈小，就會跟蘇聯制度沒有大的差別。

中國經濟還有救嗎？

節目播出時間： 2024 年 2 月 3 日

訪談要點：

◆ 中國 GDP 數據的可靠性

◆ 中國可以避免金融危機嗎？

◆ 中國當今的經濟問題是習近平政權造成的嗎？

◆ 許成鋼如何看待中國政府應對經濟衰退的「工具箱」

◆ 普通中國人要如何應對經濟衰退？

**袁　莉：中國官方統計數字說 2023 年 GDP 增長了 5.2％。
您覺得這個數據可靠嗎？**

許成鋼：這個數據不可靠。因為同樣來自官方的數據，我們
知道中國失業率在大幅度上升，尤其是年輕人的失業率，官
方報告都已經超過了 20％；還有北京大學的經濟學家，根
據他們的調查報告，失業率是超過了 40％多。當失業率在
快速增長的時候，和 5％的經濟增長是直接衝突的。

另外一個來自官方的數據，就是中國對外貿易整體上是下降
的。過去幾十年來，對外貿易的增長從來都是中國 GDP 增
長最重要的推動力之一，但這個推動力現在足負的。

再有一個，也是來自官方的統計數字，就是中國的整個房地
產行業是下降的。歷年的統計數字告訴我們，房地產行業的
上下游行業加起來，大體上佔了中國 GDP 的三分之一。當
這個領域整體是在下降的時候，也使得 5％的 GDP 增長難
以令人置信。

當然，官方媒體也有一個報告，說中國今年有三個新花樣：
電動汽車，鋰電池，還有太陽能光伏。但是總而言之，這三
個領域實際上產生出來的總價值，遠遠低於房地產行業的價

值。官方報告突出的，是在講這三個東西在對外貿易裡的增長有多麼了不起；但實際上，整個對外貿易它們佔的比例才只有3%上下，是很小的。而且，整個的對外貿易的增長是負的。

所以統統把這些合在一起，我們就知道，百分之五點幾的增長速度是靠不住的。

在過去發佈的哪些官方數據還有參考價值呢？第一就是對外貿易，原因是因為對外貿易必須要和其他國家的數字能對得上，不能差太多。再有一個，就是失業率，但現在官方也已經停止發佈了。當官方停止發佈失業率的時候，那就沒有辦法。還有就是長期以來中國官方的失業率統計口徑也有問題，因為中國有巨大量的失業，是所謂農民工；而它的統計，是只統計城市戶口的人。所以統計口徑本身，就決定了它可以掩蓋大量的農民工失業的基本社會現象。

從各個渠道來的數據，我們可以猜測，2023年的經濟增長速度大概就是和零差不多，最大的可能，是比零稍微高一點，比1%要低，百分之零點幾的增長速度。

一個基本面的數據：全國的公路物流在2023年的增長，比

起 2022 年，大概是這麼個數量級，就是比零多一點點。再有一個，就是剛才講的對外貿易。對外貿易（的增長），也是比零低一點，但是沒有低很多。所以綜合這幾個東西，放在一起看，大概就是這麼個狀態。

袁　莉：去年底習近平在中央經濟工作會議上說要防止出現金融危機，您覺得中國可以避免金融危機嗎？

許成鋼：如果中國是一個市場經濟，那麼中國現在的基本面和金融狀況，決定了中國金融危機幾乎很難避免。原因就是因為房地產市場存在非常巨大的問題，加上房地產市場給全中國金融系統帶來的問題。

因為中國金融系統裡，大量貸款是以房地產資產作抵押的；當房地產市場整個向下走的時候，就使得所有銀行發放的、以房地產作抵押的貸款，它的資產負債表裡的資產部分都要縮水。當資產縮水的時候，資產負債表就出問題了；它出問題的時候，銀行就面臨倒閉的風險。當銀行倒閉的時候，就會有連鎖反應，這就是金融危機。

但如果是一個非市場經濟，那麼這個問題是可以掩蓋過去的。中國過去不是市場經濟，也沒有大家能看到的金融現

象，所以在那個時候中國可以很糟糕，可以餓死幾千萬人，
但並不會發生金融危機。北朝鮮也是這樣，過去的蘇聯、中
歐和東歐等共產黨國家都是這樣。所以，當國家把防範金融
風險作為最高任務的時候，它可以在不得已的時候完全放棄
市場經濟，來達到目的。

袁　莉：那習近平為什麼還要說要防止出現金融危機呢？

許成鋼：因為他們現在還希望中國有市場。中國這四十多年
的經濟改革，讓他們看到中國和蘇聯，和中歐、東歐國家的
經濟改革不同的地方，就是中國有了市場的發展。他們（蘇
聯、中歐、東歐）的市場社會主義就都是國有企業，根本沒
有私有企業，最後就垮掉了。所以他們（中國）還想要保留
這個市場經濟。

但世界上不存在一個市場經濟是沒有金融危機的，金融危機
和市場經濟是合在一起的。市場經濟效率高，這個高效率裡
有一個重要的基本機制就是破產。當零星的、個別的企業破
產的時候，就不是危機；比較集中的一系列的企業，尤其是
金融企業破產的時候，這就是金融危機。市場經濟是不能沒
有破產的，市場經濟也逃不掉金融危機。那麼在市場經濟
下，政府能做的事只是努力減少金融危機帶來的影響，但沒

有任何政府是可以避免金融危機的。

袁　莉：現在有兩種說法，一種是中國經濟本來就有系統性問題，比如說地方債、房地產泡沫等，習近平政權的政策只是加速了這些問題的發展。還有一種說法是，中國本身是有這些系統性的問題，但是每個大的經濟體，比如說日本、美國都有很多問題，但習近平政權的一系列做法，使中國經濟本身的調節功能徹底失靈。經濟狀況本來可以不這麼慘淡，衰退也本來可以不這麼慘烈。您怎麼看這兩種說法？

許成鋼：的確，中國經濟存在的問題不是一個人造成的，是中國的制度造成的。中國的制度和美國、日本的制度從根本上不同，所以是不能夠和它們相提並論的。因為美國和日本，都是以私有制為基礎的市場經濟，是民主制度，是法治的。法治的意思就是，法庭獨立於黨，獨立於政府的行政部門，但中國的法庭是執行黨的命令的工具。

這些基本制度帶來的問題，就導致了中國的經濟從全球金融危機之後，增速就在逐年下降。作為一個大趨勢，其實中國也不是唯一的：過去蘇聯跟中、東歐共產黨國家全都經歷過，就是經濟增速逐漸下降，最後一直下降到比資本主義經濟體的增長速度還慢。習近平政權所起的作用，是加快了下降的

速度。

袁　莉：如果經濟一味地壞下去，會壞到什麼程度？會垮嗎？

許成鋼：經濟是不是垮了，這個在不同的制度、背景下，人們會有不同的理解。

如果這是一個公開的社會，是一個開放的社會，是市場經濟、民主制度，那麼當你的經濟明顯出現下滑的時候，失業率大幅度上升，股市大幅下降，所有人都會說它垮了。然後在選舉的時候，就會把現任的領導選掉。另一方面，就是他／她所在的黨也會失去選票，另一個政黨就要上來，因為你把經濟都搞垮了。

但如果你是在一個封閉的社會里，尤其是在極權主義制度下，意識形態和信息都是被控制的。當這個極權主義的統治者認為和經濟相關的言論已經威脅到政權的時候，就會禁止所有的跟經濟相關的言論，禁止所有相關的數據被人看到。

比如說，中國在三年大饑荒期間（1959-1961 年），所有地區的饑荒都是不允許暴露的。任何人暴露了地方上哪怕很小

一個地方的饑荒，那都是罪行，都要坐牢的。這就是為什麼在三年饑荒期間，甚至饑荒過後，在文革期間，絕大多數的城裡人根本不知道中國餓死幾千萬人。所有餓死人的地方，也只知道自己的地方餓死人，不知道別的地方的情況；就是知道自己的地方餓死人，也不敢把這個消息告訴別人。在這種情況下，大家就只能忍著，忍著它就沒有垮。

這個事情，其實中國並不是唯一的。烏克蘭發生過重大的大饑荒，就是在蘇聯統治期間。

袁　莉：三十年代的時候。

許成鋼：北朝鮮也多次發生重大的饑荒，餓死很多人，但是它也沒有垮，它也堅持著。所以呢，會不會垮，其實是非常取決於人們的共識和信息的流通。

還有一個具體例子，就是如果我們單純看 1989 年東歐和中歐、1991 年蘇聯的經濟數據，它們遠遠沒有像中國的三年大饑荒那麼慘，遠遠沒有像今天的北朝鮮這麼慘，但它們為什麼垮了呢？原因就在於經歷了二十多年的非常失敗的經濟改革，而這二十多年的非常失敗的經濟改革，在這些國家的經濟學家裡、社會精英裡，甚至包括它們的共產黨高層都產

生了一個共識——這個制度無法改革，如果我們要改革經濟，就要先改這個制度。

什麼是「這個制度無法改革」呢？這個制度就是禁止私有企業的制度。而什麼東西禁止私有企業呢？是共產黨禁止私有企業。所以他們就認為共產黨的統治不能繼續，只有斷了共產黨的統治，才能讓私有經濟發展。私有經濟的發展從來不是單純的經濟問題，私有經濟的發展，是所有人的基本權利是不是得到承認，就是人可不可以擁有私有財產的問題。當所有人的基本權利得到承認的時候，當然就已經和共產黨的最基本原則衝突了。

這就是在他們國家裡形成的共識，在這個共識下，這個制度就垮了。當人們沒有共識，當這個聲音都是被禁止的時候，那麼哪怕飢餓，人們也會勒緊褲腰帶挺過去，就是現在北朝鮮的樣子。

袁　莉：那就是說在經濟不好的情況下，中共的統治有多堅韌，或者是有多脆弱，取決於中國人，至少中國精英階層取得了什麼樣的共識，是嗎？

許成鋼：對，取決於他們能不能認識到這個基本制度是必須

要改變的。這不是一個人的問題，也不是一個人周圍的幾個人的問題，問題在於它的基本制度。

袁　莉：不少的中產階級很惶恐，他們害怕再次跌入貧困，這種情況會大規模發生嗎？普通的中國人可以為接下來您説的這種經濟衰退做什麼樣的準備？

許成鋼：當情況愈變愈壞的時候，非常重要的一個部分，是儲蓄。但儲蓄又面對一個很大的風險：通貨膨脹。通貨膨脹把人的儲蓄全搞光了，這個是實實在在發生過的。在蘇聯和東歐、中歐國家，共產黨政權垮台的時候，突然之間發生了超級通貨膨脹。

有些人把它簡單地歸結為所謂的「休克療法」[32]，這是完全搞錯了。「休克療法」自己不會造成超級通貨膨脹，這個超級通貨膨脹，實際上是因已經有這麼多的貨幣在那了，有這麼多壞帳是靠這些貨幣支撐的，只是過去它沒有完全爆發出來；它能夠爆發出來，實際上是因為過去積累的種種問題。

32　休克療法，是一種總體經濟學方案，意指由國家主動、突然地放鬆價格與貨幣管制，
　　快速進行貿易自由化。

那麼現在，我們知道，為了要支撐這些國有企業，為了要支撐這些銀行，要發的貨幣都是論萬億、十萬億、幾十萬億。因為它們現在欠的債是上百萬億的。所以最後你要頂住，要讓金融系統不崩潰，財政系統不崩潰，實際上需要的貨幣發行量都是論十萬億、百萬億的數字。但危機一旦爆發出來，那就是不得了的通貨膨脹。

目前的中國由於嚴重的內需不足、產能過剩，還面對通縮的困難，早晚會突然之間又被轉過來。溫和的通貨膨脹，其實對經濟是有好處的。但是現在的問題是，實際上是到處存著大量的貨幣，壞帳很多很多，這些東西早晚是要爆發出來的。

袁　莉：基本上來說，普通人其實也沒什麼辦法，就只能等著風暴的到來嗎？

許成鋼：如果不是靠貸款擁有實物的資產，比如說房地產，在面對惡性通貨膨脹的時候，是有相當的抵禦能力的。

袁　莉：還有人說中共手上的牌還很多，只是還沒有打出來，您怎麼看這個說法呢？

許成鋼：如果我們看一下國有資產的總數，這個數字當然很大。因為所有的土地、銀行都是國有，所有的基礎建設在國有土地上都是國有，所有的上游都是國有，這些東西合在一起，就是國有資產，總數字是非常大的。

剛才我們講到總欠債，中國經濟總的欠債可能是 GDP 三倍的樣子，國有資產的總數確實要比這個大很多。所以人們會認為，由於國有資產有這麼大的數字，那只要變現出來，就可以解決金融問題。

但是人們忘記了一個非常重要的基本道理：就是你怎麼把資產變成現金？為什麼會出現金融危機？金融危機的原因是因為沒有流動性。現在我們說的這些國有資產都沒有流動性，全是不動產。當你沒有流動性的時候，你怎麼解脫？如果不印鈔票，你怎麼解決沒有流動性（的問題）？當然它是可以印鈔票。

所以最終當它面對嚴重的金融危機風險的時候，其實它依賴的並不是它的資產，依賴的是印鈔票。當整個經濟沒有流動性的時候，你怎麼賣？你賣給誰？沒有流動性的時候，你拿（資產）去賣，是賣不出價錢的。就等於你要用非常低的價錢賣掉一點點的資產，是沒有能力拿回來補救金融危機的，

所以是管不了用的。

另一面，就是中國的外匯儲備。中國外匯儲備還有三萬億美元，但是和中國經濟的體量比，這個數字其實並不是真的很大，而且這個數字是在持續下降的過程中，伴隨著中國的對外貿易也持續走低。那麼實際上就是不可避免的，外匯儲備整個趨勢是下降的，早晚一天，這個下降的趨勢是會低到危險的程度。

所以，簡單地說「它手上有很多牌」，其實是你沒有看到這個牌怎麼打，這個牌其實打不了。確實，中共手裡有很多資產，但是這個資產是沒有辦法拿來抵禦金融危機的，除非你賣給國際投資者。但無論是賣給私人，還是賣給國際投資者，從共產黨的角度講，這都是動搖了共產黨的執政基礎，從政治上是不能接受的。

袁　莉：您覺得在現在這樣的經濟情況下，有沒有什麼書大家可以看一下？

許成鋼：哥倫比亞大學（Columbia University）法學院教授卡塔琳娜・皮斯托（Katharina Pistor）的 *The Code of Capital: How the Law Creates Wealth and Inequality*。

我為什麼推薦這本書呢？因為這本書告訴我們法治的重要性。這本來不是她的用意，但我們需要明白：資本主義是從哪來的？資本是從哪來的？什麼是資本？她從一個法學家的角度告訴我們，資本主義來自法律制度，沒有法律制度，就沒有資本主義制度。

中國今天雖然表面上有法律，但是中國沒有法治。法治的意思就是，立法是獨立的，司法是獨立的；獨立的意思就是獨立於黨，獨立於行政機構。這本書告訴你，是怎麼樣通過立法和司法才有了資本。反過來的邏輯就清楚了：實際上在中國的資本和在資本主義世界裡的資本是兩回事，因為在資本主義制度背後支撐著它的是法治，抽掉了法治，等於抽掉了資本主義的魂。

袁　莉：她的這本書我查到，台灣大塊文化有翻譯出版，書名叫《財富背後的法律密碼》，副標題叫「法律如何創造財富與不平等」。

許成鋼：對，她原本是要討論不平等。資本主義離不開不平等，想在資本主義社會達到完全平等，是做不到的。剛才我講，資本主義離不開金融危機、離不開破產。資本主義絕對不是一個完美的社會，只不過是我們人類找不到一個完美的

社會。資本主義至少有一點是我們找不到更好的，就是它能保護人的權利。至今人類社會能夠最好地保護所有人的基本權利的，是資本主義。當然，在她這本書裡講到了不平等，法律使得有的人富，有的人窮，你可以認為這是它的缺點，你也可以認為這是它的特點。

袁　莉：我昨天還聽了一期播客，是英文的，討論了資本主義和民主的關係，就説民主制度是一定需要資本主義的，但是資本主義不見得需要民主制度。我就想説，好像資本主義只有在民主制度下才能夠可持續發展。可以説中國特色的資本主義，最後還是不可持續的。

許成鋼：這就是為什麼我不認為用資本主義和社會主義來討論中國是合適的原因。我為什麼要非常努力地糾正這個概念？就是說它是一個極權主義，在極權主義制度下，它試圖在形式上弄一些市場經濟，來幫助極權主義生存。但由於它不是資本主義，它連法治都沒有，討論什麼資本主義？

所以當人們説「資本主義不需要民主」的時候，實際上是一種比較膚淺的討論。人們也可以説世界上很多國家的民主做得很差，就是把很多有選舉的威權主義叫做民主，這就是泛化的民主；然後把很多裡面分明是政府直接操縱的經濟——

只要它有市場——就都把它們叫做資本主義，就是泛化的資本主義。但是真正的、能夠長期持續發展的資本主義，是和民主制度連在一起的。原因很簡單，因為資本主義的制度是離不開法治的框架，而法治的框架是離不開民主的制度的。

袁　莉：其實今天我們講了那麼多，基本上都是大家來問我的問題，我來問您。大家對於中國經濟衰退的擔心，覺得它會不會崩，會不會垮，都還是把它當作一個有一些市場經濟元素的經濟體來看待。如果你把中國看作一個極權主義制度，它做的所有這些事情的邏輯都能夠理解了，對不對？

許成鋼：對。

孫軍利：從致富到返貧
——在中國經濟泥潭中遭遇重創的小企業主

節目播出時間： 2023 年 8 月 27 日

孫軍利是一個中國小微企業主。她出生於 1970 年代的陝西鄉村，父親在她五歲時發生事故，失去了雙手。她擺過地攤，開過出租車，2008 年開體育服裝店賺了第一桶金，在電商模式興起時開了連鎖咖啡廳。但到 2020 年底，在疫情與政策的雙重擠壓下，她不僅失去了二十家餐廳，而且身負巨債，付出了巨大的個人代價。

她的經歷並非個例。她和很多沒能在疫情中撐下來的小微企業主所經歷的一切，可能可以很好地解釋中國經濟為什麼走到了今天這一步。

為使閱讀體驗更加友好，本篇文章將節目的訪談內容改寫成了受訪者自述。

我是 1975 年在陝西出生、一個三四線城市的個體戶。從小生長的環境是在農村，高中畢業以後就開始出來，一路打工。那個時候分農村戶口、非農戶口、城鎮戶口，我是農村戶口，所以在城市我找不到工作，我也沒有其他的關係，所以我就出來。先是擺地攤，再開出租車，也賣過小家電。到 2008 年的時候，我代理了安踏（Anta）、愛迪達斯（Adidas）、耐克（Nike）三個品牌，開了三個專賣店，那應該是我賺的第一桶金吧。

那個時候生意還行，到了 2013 年，我就跟我的合夥人、也是我現在的老公創辦了「曼尼咖啡」。那時我們就覺得在中國，西餐咖啡是一個空白市場，然後我們就開了第一家店、第二家店、第三家店，一路開過來，到 2017 年的時候吧，我們最多的時候有二十家店，也在整個陝西是一個小有名氣的咖啡西餐的品牌。

2015 年的時候我開始貸款，用銀行貸款擴展整個店鋪。2015 年到 2018 年之間，我一共在銀行貸了五百多萬（人民幣，下同）。那會兒銀行貸款很好貸──不是我要去貸，是銀行的人找著我讓我貸款。那個時候，我流水最多的時候做到四五千萬，銀行就不停地找我來貸款。

結果到 2018 年的 5 月到 2019 年 10 月底，銀行就一下子把我的五百萬貸款抽完了，[33] 當時我的現金流就非常緊張了。但馬上要到了春節進入旺季了。我知道我那二十家店，春節那一個月的流水基本都能做到五六百萬。

疫情中的掙扎

2020 年的春節前，除夕晚上政府就要求我全部關店。那個時候我沒有意識到這種關店對我意味著什麼，就覺得無非就是把幾天好生意給耽誤了。然後我就把店關了，開始在家裡待著。結果緊跟著就開始封社區，不讓你上街。

那時候我還沒有感覺到情況有多嚴重，結果這一下子就封了三個月，三個月啊！三個月意味著什麼？三個月意味著我三個月沒有一分錢的收入，沒有一分錢的收入！

剛封控一個禮拜，我就開始焦慮了，就覺得到底咋辦呀？我一直在看新聞，看什麼時候解封。拖到三個月，我就開始心

33　銀行貸款給企業，在還未到協議規定的還款期限期間，銀行認為企業經營出現問題了，要提前收回貸款的行為叫「抽貸」。

灰意冷了。

一直到了五月，才開始陸陸續續讓你開業了，還不是說所有店都一起開，而是陸陸續續地開。但重新開業的時候，營業額就——都不是腰斬，直接就是八成都沒了。我以前一個店單天的營業額基本上能做到七八千，甚至一萬，但重新開業以後，基本上一天也就一兩千而已。還有一些員工不願意上班，物流也不行，物料也運不回來。那種感覺就是，你說它塌了吧，它好像也沒塌；你說它能正常運轉吧，它又正常運轉不了，就這麼一個狀態。但那個時候，你店鋪的員工工資啊，房租啊，都要交，所以每個月都在賠。

一個店一個月賠三萬，我二十家店就得賠六十萬。從那個時候開始，我本身現金流就可以說是沒有了，然後我就要把車啊、房啊，各種東西都抵押變現了。因為我的流水大，那個時候我信用卡的額度基本上都是五十萬的，然後我就把我的信用卡額度全部又給刷出來了，也把我哥、我妹的信用卡都刷了。

當時就是感覺，把這個月撐下來，下個月就好了；把下個月再撐下來，再下個月就好了，就總是覺得下個月就能好。然後就一直這樣賠、賠、賠，一直賠到 2020 年的 11 月底，那

時我已經彈盡糧絕，賠無可賠。這個時候就面臨著房東要我交房租。當時我已經欠了兩三個月房租了，再交不起房租，房東就要鎖門了，可當時我已經把中央廚房都搭建起來了，這個中央廚房投資了將近五百萬吧。那時我自己已經把供應鏈給搭建起來了，但店鋪已經不需要這個供應鏈了，所以我把中央廚房先給關掉了。

到了 2020 年 11 月底，我徹底撐不住了。我就開始把外縣的店鋪全部給承包出去，比如這個店有合夥人，我佔七成，他佔三成，我就和他說：我不要我的七成，七成全部給你，你把房租交了，把欠的員工工資給承擔了，其他掙的錢我都不要。

因為外縣的店成本低，所以相對還好一些。成本最高的就是機場店，機場店是我主動關的，因為疫情一開始，機場不是就沒人了嗎？但機場店的費用特別特別高，租金是一平方米五百。咸陽市大概一共有八家店，那八家店有的是房東直接鎖門的，有的就是員工沒人上班了，直接關門的。

2020 年 12 月底的時候，我手裡一家店都沒有了。那個時候我還想著，如果承包出去，一個人做一個店的話，其實它能做到不賺不賠，但能把店給保住。

2021 年，我這一年幾乎沒有幹啥，就是一直在處理那些爛事吧——你借了那麼多錢，每天都有人給你打電話要帳，每天都去堵你的門。

這中間還出了一點事。我不是欠了一個半月的工資嗎？雖然我把那些店分包出去了，但是財務、辦公室、中央廚房那些人的工資我沒有發，員工就集體把我送到勞動監察大隊，然後勞動監察大隊就把我移交到公安局，我最後被拘留了 16 天。公安局就說，這是一個群體事件，要不然我就給員工發工資，要不然就拘留我。那時我沒錢發工資，就被拘留了。當時說得挺嚴重的，就說如果說我隱瞞財產，但我不給員工發工資的話，可能會被判刑。但他們調查了一輪以後發現，我真的沒有錢了。最後我的債主把我起訴到法院，直到現在我都在失信人員黑名單裡，坐不了飛機和高鐵。

我剛從看守所出來的時候，不能想那十幾天的經歷。到後來我就自己慢慢療癒吧。我覺得沒有進過那裡面的人，不管我怎麼描述，其實你是無感的。

它讓我感觸最深的是：第一，我現在特別能理解，就是為什麼那些很大的官，到了監獄以後，再出來的時候，會一夜白頭。我的頭髮就是一夜白了，就是在看守所裡白了三分之

一。看守所的生活其實是對你精神的一種摧殘，不管你在外面是一個什麼樣的人，你到了那裡面，你是「15 號」，這是其一。

其二就是，你到了那裡面，才能真正地體會到什麼叫失去自由。我們坐著、站著，或者是去喝口水，去上個廁所，一件稀鬆平常的事，沒有任何障礙的事，到了那裡面都不可以做。你坐累了，跟前就是床，你伸手就能摸上的床，但你不可以躺到那。你想上廁所，也必須去打報告，必須告訴所有人你要上廁所，而且必須在眾目睽睽之下去上廁所。

它其實對你是一種精神摧殘。雖然只有十幾天的時間，但如果你是一個沒有思想的人，在那裡面一星期就能把你洗腦了，洗成一個只會服從命令的人。

早上六點鐘我們必須起床，而且這個起床時間就是十分鐘。你要起床，把你的被子東西全部收拾好；然後就是排隊刷牙，排隊上廁所；完了以後你就開始背監所規章制度。到了某一個時間點，你只能幹什麼，不可以有任何其他動作。

其實在前四天，我是麻木的，我不知道我身在哪，我也不吃飯，我啥都不幹，就是人家讓我幹啥、我就幹啥。然後到第

五天的時候，我就反應過來了，我就開始冥想，開始讓我自己恢復。

要說在裡面受了多大的苦，其實也沒有，沒什麼人欺負你，也沒有人去為難你，但它真的就是對你的精神的一種摧殘。

我就把 2021 年這麼磨過去了。然後到了 2022 年，我不敢再磨啦。盤下我十幾家店的那些人，因為他們沒什麼管店的經驗，所我就和他們說，我來給你運營店鋪，我不收你的錢，但你給我發工資，讓一個店給我個五百、一千，讓我可以正常生活。

結果沒想到，西安就開始封城了。因為那些店在不同地力，我要從咸陽到渭南，在高速路上就被困住了，下不去高速，就是各種的核酸檢測。我現在租的這個房子在咸陽的火車站跟前，特別倒楣的是它每一次都會被封。2022 年，我這個社區被封了八次，最多的一次是封了 24 天，最少的是封了七天。其中有一次做核酸的時候，人家說我是「次密接」（密切接觸者的密切接觸者），直接把我家門就給封上了。你不知道什麼時候社區就被封，就是你睡著覺，第二天早上起來，你的社區門就被封了，你就出不去了，也下不了樓。就是各種封吧。門店也是這種情況，就是不停地關關、停停、

封封。即便是好的時候，它不封你，但是它不允許堂食啊。

所以這些門店根本就沒有辦法正常營業，每個店都在賠。他們都在賠的時候，我就不可能去讓人家給我發工資嘛。

我哥當時給我公司開冷鏈車，我這邊停了以後，我哥就給「餓了麼」[34] 跑外賣去了。他還稍好一點，這段時間就是他在接濟我，偶爾給我發三百、五百，讓我能有個正常的生活。我被封的時候，因為他在跑外賣，就能給我送點吃的。

解封之後

2022 年底突然解封，對我來說是更大的傷害。我爸一解封就感染了，他一直都有肺病，我就趕緊把他送到西安的腫瘤醫院，因為我知道他扛不住嘛，他在腫瘤醫院住了六天。

我哥當時在腫瘤醫院陪我爸，當時他也「陽」了，腫瘤醫院所有的醫生、護士也全部「陽」了。然後人家就讓我爸出院，說要進行消殺（消毒、殺菌）。我說我爸不敢出院，人家說

34　「餓了麼」，是中國多人使用的外送平台之一。

不行，所有的病人都要出院。

結果我爸 12 月 23 日出院，12 月 25 日就去世了。他當天早上開始低燒，我哥就要從咸陽開車把我爸給送到老家韓城，結果他在路上就走了。他走的時候躺在我懷裡，我抱著他，他就在我懷裡走的。

我在把我爸送完以後，緊跟著不是就春節了嘛，所有店的生意就正常了。從正月初一到正月十五，這十五天各個店的生意是出現一個大的爆發，每天基本上就能恢復到五六千的營業額。

結果春節過完，單位的人一上班，學生一收假，營業額就又開始往下滑了。當時我心裡面還是有一些覺得，每年不是都會有一段時間下滑，然後再往上升嗎？結果二月份還基本在預期之內，沒有太差，也沒有太好，基本上就是每天的營業額在三千左右。結果三月份又繼續下滑，然後四月份還不如三月份。在疫情之前，每年五月店鋪就進入旺季了，但結果五月的生意連四月都不如。

進店人數是驟減。比如說，基本一個月能有三千多單，但到了五月份就只有 1,200 單。營業額驟減，一個單店能做到十

萬，就是我已經使出了渾身解數，比如說服務、運營、行銷方案，把所有我曾經用過的行銷方法全部拿出來，一個月單店才能做到十萬塊。

我認為是我的目標客戶群沒錢了，不是不敢花錢了，是沒錢了。我的目標客戶群就是工薪階層，甚至到一些中高端消費群體，例如做生意的、公務員、公司白領等等。之前的話，一壺好茶，比如說像金駿眉、正山小種這種國茶，我可以兩百多塊錢一壺，今年把茶降到 128 塊錢都沒有人去點。

我們在抖音上推一波活動，出一個價格便宜的套餐，比如說出了一個 68 或者 69 的雙人套餐，瞬間就被買完了。但當這波活動結束了，要恢復到原價，就都不行。你能明顯地感覺到，只要沒有活動，就沒有人來。

我現在在勸那些合夥人關店，因為現在開著的，基本上成本低的、房租低的店鋪，可能一個月能剛剛打平。但有些我知道的房租低的店鋪，四月份、五月份、六月份這三個月都是賠的，只是賠多賠少的問題。有的賠三萬，有的賠兩萬，有的賠五千，都在賠著。

每個人都錯了？

其實剛開始的時候我挺難受的。因為我不是那種很懶惰的人，也不是嬌生慣養的人，我一路都是那種磕磕絆絆打拼過來的。

雖然我文化程度不高，但是我管那麼多店的時候，我是一路在學習的。比如說我要去學管理，要去學店長培訓，我還是挺愛學習的。當我要去找一個新的行銷方案的時候，我就會去上海、去廣州、去香港、去泰國、去周邊的東南亞國家，因為你出去才能知道、學到更多的東西。

剛開始心裡面其實挺怨的，也挺恨的。就是覺得很自責，覺得之所以走到今天這種境地，是我自己在某個關鍵節點做出了錯誤的選擇。但再看看我身邊的人，就是跟我當時同等體量的，我不相信每一個人都做錯了吧？就我笨，我走錯了，好像我一貧如洗了。但是我跟前的無一例外——他們當時的體量跟我差不多，都屬於小微企業，每年的營業額也在五六千萬這樣——無一例外，現在都是一貧如洗：背債的，賣房賣車的，身後欠了一屁股債的，都成這樣了。我做餐飲的，我做錯了；他做服裝的，他也做錯了。那做家具的呢？那做洗煤廠的呢？都錯了嗎？一個人在經營，你的能力有問

題，你不敬業；你也能看到，我身邊的這幾十號人都在幹事
的，這幾十號人都不敬業嗎？都錯了嗎？我再去想，就不那
麼自責了。

出路

我最近一直也在梳理我的思路，就是說我還能幹什麼。

我看了很多加盟商，他們真的是在割加盟店鋪的韭菜。我其
實是心裡面挺不舒服。為什麼曼尼咖啡當初沒有搞加盟？因
為我知道一個人沒有經營能力的時候，其實把這個店鋪給
他，他是掙不了錢的。你收他加盟費，就是「割韭菜」了。

所以我想準備做一個小品類的餐飲，比如說投資不超過十
萬、十五萬，然後我能保證讓你能掙錢。從選址到給你輔導
店鋪，教你怎麼去經營，包括給你怎麼去推廣，我去做一個
模式出來，然後我把這個模式告訴你，你拿著這個模式就能
賺錢，我就掙我該掙的錢。

我也救不了很多人吧，但我能救到的就儘量救。今年我從店
鋪招聘就能看見，真的很多人沒有工作。我之前的店鋪沒有

大學生。前幾天有一個人來應聘店長，他是做房產仲介的，竟然跑到我咖啡廳來應聘店長。而且感覺現在來應聘的人學歷明顯高了。之前基本上我用的是比較樸實、能幹的人，但是今年你明顯感覺到很多的本科生都來應聘了。還有就是，只要我在「Boss 直聘」上掛一個（職缺），基本上每天都有無數個人來給你打電話，問你要不要人。

我只有開店的這個本事，再沒其他的本事了。但是我連這十萬塊都沒有，那我能怎麼辦？我只能拿著我的想法，去找一個合夥人，然後來一起（起步），我現在用這個方式已經找到合夥人了。

我們這些人其實真的沒有很多的要求，沒有說讓你給我多少錢。我們可能只是想讓政府把我們從黑名單裡面解除了，讓我們能成為一個正常人，能走一個再次創業的路。

那些找不到工作的年輕人

中國經濟持續低迷之下，青年人就業成為人們普遍關注的議題。2023 年，中國有 1,160 萬大學畢業生，創下歷史紀錄。同時官方資料顯示，每五個年輕人當中就有一個人失業，這一比例也創下了歷史新高。找不到工作的年輕人們正在經歷什麼？他們如何看待自己和國家的未來？

為使閱讀體驗更加友好，本篇文章將節目的訪談內容改寫成了受訪者自述。

Steven：未來還有什麼樣的可能性？

大家好，我叫 Steven。我是去年剛剛從英國的一所大學以碩士的身份畢業的，學習的是互聯網相關的專業。

今年找工作確實比較艱難，我投了很多互聯網大廠，但基本只有面試，後面就沒回音了。我也找過一些學校的工作，但因為現在體制很僵化，沒法把我招到相關專業當老師──因為我學的是一個交叉學科，好像誰都想要，但是因為制度，誰又都不能接收我。然後有一些國企的機會，但可能是因為我有留學背景，最後都被刷掉了。

我是 2016 年進入大學的，那個時候互聯網產業非常興盛。我記得上大學沒幾個月，就出現共用單車，我當時就覺得這肯定是一個充滿機會的時代吧。

我記得當時中國很流行的一本書，是威廉·曼徹斯特（William Raymond Manchester）寫美國的那本《光榮與夢想》（*The Glory and the Dream*）。我就覺得，中國的那個時代就是對應美國「光榮與夢想」的時代。但沒想到，當我畢業的時候，這個行業就已經基本快死掉了。

我從英國大學畢業的時候覺得應該還比較好找工作，因為之前從我們學校畢業的人都還蠻好找工作，大家都在挑，從來沒有想過找工作這麼難。

也不光是找工作的問題，很多公司文化也讓我覺得挺受不了的。在我面試的時候，他們就問我說可以加班嗎？我可能也失敗在這裡了。我就問說：會是一個什麼樣的加班情況呢？我不想做無意義的加班，我還有很多自己的生活。然後他們基本上給我的回覆就是：你要接受無條件的加班。

我還有個女同學，她已經找到了一個互聯網公司的工作了，但入職的第一個星期就遭到了老闆的性騷擾。她和我說，老闆讓她搬東西到家裡去，她感覺到不對，就沒有同意，之後工作中老闆就各種刁難，然後她說公司基本所有女生都遭到了老闆的性騷擾，這種文化我覺得太糟糕了。

我不太看好在中國的發展。就像最近「笑果文化」事件，[35] 它把整個社會的縫隙卡得這麼窄，未來還有什麼樣的可能性？未來我們還有什麼空間去做創新？

35　笑果文化旗下藝人李昊石在脫口秀表演中的內容，被指涉嫌貶損中國人民解放軍引發爭議。事件被北京市公安局立案調查，笑果文化被行政處罰超過一千萬元人民幣，暫停多地線下演出，中國線下脫口秀等表演亦受到影響。

我覺得給人空間很重要。你需要讓這些會新技術的人——不是用框子把他／她框死，而是給他／她空間去嘗試，因為我覺得年輕人的創造力肯定會比老人們要好。

經濟上來說，我覺得現在明顯是一個通縮的狀態。因為我媽媽還算比較成功的商人，她那天跟我聊，說再有錢應該怎麼投資。我說你不要投資，你換點美元吧。現在大家都處於不敢投資的狀態。經濟上，商人沒有任何安全感，為什麼要投資呢？也不知道投去哪裡。我覺得無論從經濟還是創新，各個方面來說，中國都沒有特別大的希望。

Gloria：上班對她造成的改變太可怕了

我叫 Gloria。我出生在中國中部的一個城市，今年六月即將碩士畢業。

我大概從去年是九、十月，就是「秋招」（秋季校園招聘）的時候開始找工作，然後今年三月又找了一次，最近一週瘋狂地在投簡歷，也面試了兩三家。

去年「秋招」時，學校開了招聘會，很多公司都來我們學校。但是我去看了一下，基本上沒有合適我專業的。當時是很沮喪的，然後就看到什麼覺得自己可以做的崗位都投了，最後拿到了三個面試。

第一個是銷售。面試的時候，那個姐姐問我說：「你是碩士專業，你願意來做銷售嗎？銷售其實挺苦的。」我其實看了一下薪資，還挺滿意的，工作地點是在上海，然後也是管培生（管理培訓生），好像有一萬多（人民幣，下同）一個月，之後會有晉升的管道。但她跟我說：「你要考慮清楚啊，我們是挺苦的。」我跟她掛完電話，就開始在各個平台搜索，然後搜到了那間公司，發現真的有人吐槽說，每天晚上十點多了都回不了宿舍。然後我就想，算了，我趕緊跑吧。

第二個的工作地點是在廣州。因為我學的專業和他們要給我的崗位是不一樣的，那個姐姐就說，她看我實習有過一段這樣的經歷，就問我是否可以來做一個運營的崗位。我就首先問了薪資和工時。但我感覺薪資也不是很高，同時也不解決食宿。本來工資也不多，還要自己租房的話，感覺已經沒有辦法過活了。我當時就在想，怎麼工作都是這樣子的啊？

後來我認真思考了要不要去做銷售，我覺得如果找不到其他工作，我還是要去做，我可以邊做邊找其他的工作。

我感覺現在的經濟氛圍不太好，找工作是一件很難的事情。如果說找沒有一點自己的儲蓄，或者說每個月有穩定的工資，我會有一種很不安穩的感覺。

我現在的年紀已經二十多歲，就會有一種有危機感，雖然不多，但是還是會有一點。後來我就開始真正意義上的「海投」[36]。招聘軟體、微信群聊、微博……只要能找到的地方我全都投，就閉著眼睛瞎投了。那幾天我真的超級焦慮，我溝通的有兩百多、快三百家，投了四十多快五十份簡歷，最後是去兩家面試。

36　海投，指的是在找工作時不加選擇地向各公司投遞履歷。

我先投了一些我感興趣的，人家不理我；然後我就投了一些其他的，也因為專業不對口，被拒絕了。然後我想北上廣深 37 應該機會多一點，人家至少會理我一下吧？但是基本上 HR（人力資源）只會發一個非常官方的通知：「我們已經收到了你的簡歷，如果合適我們會在三五天內聯繫你」，但之後基本上都沒有音訊。

然後我就想，不行啊，怎麼連面試的機會都沒有？我開始著急了，就開始投一些跟本專業相關的工作。

投本專業的時候，我也收到了一些面試的機會，但基本一上來就會告訴你：這個工作必須要加班，要不就是單休、大小週。38

有一個工作我特別不能接受。對方和我說，我們沒有底薪的概念，要看你的能力。我當時就懵掉了，什麼叫看我的能力？這樣子的話，跟我去打工做兼職，或者去做一些其他臨時工作有什麼區別？我還碰到一些崗位，說我們不招應屆的畢業生，只有兩三年工作經驗的人才能來應聘。

37　「北上廣深」指北京、上海、廣州和深圳。
38　「大小週」指一個星期上六天班，接著一個星期上五天班。

我當時就覺得，所有公司也好、大環境也好，好像都不是很願意給一個新人嘗試的機會。我後來就想，可能是因為現在經濟不太好，本來裁員就很多，他們可能覺得要培養一個新手，對他們來講也是一種消耗。

找工作也讓我對當下的工作環境有了一個很直觀的感受，他們直接就覺得加班是一個很正常的事情，但我也很清楚我自己是絕對不要加班，所以很多崗位我最後都沒有去面試。

這兩年看到了很多剛畢業的高校生出去工作猝死的事件，然後我就覺得，這就是一份工作而已啊，真的不用把命搭上。你先身體健康，什麼事情都好說，對吧？

我覺得人要有生活，我的生命不能只有工作和睡覺——那跟我前十幾年，只有學習和睡覺的生活又有什麼區別呢？那種生活讓我很厭煩，覺得很窒息，好像我找不到自己。我覺得那些工作我也沒有真的很喜歡做。

我覺得加班這個事情，其實很反映它的企業文化，就是它崇尚的是什麼東西。就算我每天加班到晚上十二點——我本來應該六點下班的——加班的六個小時我就在那摸魚，對整個公司來講又有什麼效率可言呢？我覺得它沒有什麼效率，而

且又很耗損你的精力。你人又沒有休息好，每天也不知道在幹嘛，好像就是為了讓老闆感覺你在很用功、在為這份工作賣命，這樣子我覺得不太好。

我在面試的時候也被問：你願不願意吃苦？我的前提是，吃苦要真的可以給我帶來一些無論是精神上、或是物質上的好處，你不能反覆讓我做一些什麼都學不到、又覺得很難受的事情。這樣的話，我會覺得我的生命都沒有意義。

我後來也在想，學歷對於我到底意味著什麼。我現在已經讀到碩士快畢業了，我有真的在考慮自己喜歡做什麼事情嗎？我到底想要什麼？其實我也不知道。

我當時讀書，也是覺得大家都讀碩士，那我也讀；大家都考研，我也該考研；大家都上大學，那我也上大學，就這樣。對自己未來其實沒有一種很清晰的認知，也沒有覺得自己喜歡做什麼。就好像一直都是隨波逐流，大家在做什麼，我就做什麼的樣子。

我們寢室四個人，三個室友都說要考公務員。我當時就很吃驚。有一個姐姐，比我大一屆，她去年畢業以前，一直都在考公務員。然後由於疫情的原因，她的考試被推後了，最後

她要畢業時，我問她：「你現在已經找到一個工作，你還會去考公嗎？」她說：「我還要繼續考的」，但她也說會轉變方向，打算考那種高校裡面的文職，因為工作穩定。

我另外一個室友，她開始也是要考公，後來覺得太難了，就決定考教師編制。但她們最開始都是想要考公務員，希望有一個穩定又比較舒適、體面的工作。到後來就會轉向，覺得只要穩定就可以了。

現在工作真的很難找。我跟室友在聊天的時候，她就說以前是希望「錢多、事少、離家近」，現在就是「錢多」、「事少」、「離家近」，只要有一個都可以。

我應該是去年開始有了比較明確的目標，就是我以後一定要「潤」，絕對不要待在中國。但眼下我又會有些焦慮，因為現在的工資確實不高。如果我要「潤」的話，我首先要有足夠的存款，這個我需要慢慢地去積累。但我擔心，在我還沒有積累足夠多錢的時候，時局已經不是我能夠預測到的了。我沒有辦法想像未來會發生什麼樣的事情，比如說台海局勢。

我確實挺悲觀的。我以前可能對這些政治上的事情不是很敏

感，但經過了這三年「清零」的鬧劇，我就發現以前在書本上看到的荒唐事情，真的有可能再來一遍。因為他們做事情只顧上面的意思，上面什麼命令就都會執行，就像機器人一樣的，也不管你是什麼情況。上面命令拖你走，你就要被拖走，就跟當初文革抄家一樣。

如果一直找不到工作，我就會去做銷售。因為我確實是需要工資來生活的人。我父母想讓我去考公務員，但我不可能去考，這絕對會影響我未來出國的計劃，因為公務員好像很難辭職。我希望能有一份穩定的工資，有穩定的上班時間和我自己作息的時間，但同時也要有一定的靈活性，只有這樣，我才能慢慢地推進我的計劃。

我一定有自己的時間，我不能除了睡覺就是上班。我有和我本科時的同學聊過她上班的感受，她跟我講了一個很恐怖的事情：

她那時剛畢業不久，工資有六千一個月，但每天壓力都非常大。她跟我見面的時候說她準備辭職了。我當時就很天真，說：你薪資什麼的都很好，為什麼要辭職？她說：我每天加班到晚上十一二點才回住的地方，每天晚上都做噩夢。主管每天會在他們的背後巡視，還會一直 push（催逼）他們要

做得更多，一份工作做完就不停地讓他們繼續做。她說自己每天的精神都是高度緊繃的。我見她的時候，也感覺她沒有以前那麼愛說話了，就是那種很壓抑的感覺。以前我們倆其實都挺愛說話的，但那次和她見面，我說的話她都不接。我就說：你要不要看一下心理醫生？因為我有點擔心她的情況，但她那個時候還在搖擺，說不一定要辭職，因為還要養家裡人。然後我當時就說：你還是趕緊辭職吧。你想，我跟她見面也就幾個小時，我開始從「哇，你為什麼要辭職」，到後來我說「你趕緊辭職吧」，太嚇人了。我剛跟她見面時，可能還沒有感到她整個狀態的變化；跟她聊完，發現上班對她整個人造成改變，我覺得太可怕了。

你都能感覺到她的那種沮喪、無力和那種靈魂出走的感覺。我想我以前認識的那麼一個有趣的女孩子，為什麼變成現在這個樣子？我當時就很不解。所以我當時跟她聊完之後，就非常明確地認定我不要天天加班。就是給我再多錢，我也不要這樣，我覺得如果我變得眼神裡都沒有光，每天被工作折磨得好累好累，很不值得。

我才二十幾歲，我覺得我完全可以很嘻嘻哈哈、很快樂地過整個二十歲到三十歲，因為我也沒有什麼婚育的打算，我的人生就是要快樂一點。

Miles：只想在能保障個人權利的土地上，過完平靜且自由的一生

我是一名今年即將畢業的碩士研究生。我從小成績還不錯，也通過考研進入了中國前幾名的大學，看似馬上就要擁有「小紅書」上動輒年薪百萬的工作。[39] 但在中國，一些比較高薪的工作都需要超長期的實習經驗，所以我在實習生崗位上一直堅持，幾乎沒有工資，一週七天，幾乎是 24 小時待命，身體也是一天不如一天。我逐漸就覺得難以承受，因為我覺得生活不該是這樣，即便年薪百萬又如何？也許我會想買更貴的房子，但最終的結局仍然是被痛苦的生活牢牢綁架，這和從小老師、家長描繪的「努力就能帶來幸福」相差甚遠，所以我最終下定決心要離開這個行業。

我們的領導經常會在凌晨十一二點的時候佈置任務，如果你問他什麼時候要，他就說明天早上給我，言下之意就是今天晚上就不要睡了。我記得比較嚴重的一次，就是我熬到三四點鐘，整個人受不了了，心臟跳得特別快，一口氣要喘不上來了的那種感覺，很恐怖。但在當時，我想的更多的是自己

39　「小紅書」是中國的生活分享類應用程式，上面不少用戶分享自己的高收入，所以有不少人調侃稱「小紅書」用戶有年均百萬的收入。

要堅持下去。當時覺得別人都可以堅持，憑什麼我不能？是不是不能堅持，就不能有更好的生活，不能拿到這份正式的工作？所以身在其中的時候，更多是勸自己要堅持。但後來回想的時候，真的是覺得非常後怕，因為一個行業其實不缺少任何一個人。就算你猝死，還有千軍萬馬過獨木橋的人，前赴後繼地湧上去，從不缺我一個；但如果我沒有了我的生命，那就真的完全結束了。

從小父母、老師的教育就是，只要每天好好學習，考上了好的大學，或者考上好的研究生，或者有個好的工作，那你這輩子就不愁吃穿。甚至有價值觀比較畸形一點，覺得你就此可以當所謂的「人上人」，這輩子都可以活得很有尊嚴，有頭有臉，物質上也不愁，等等。好像一切都是只要你好好讀書，只要你比別人更加地刻苦，你也許更聰明一些，然後你這輩子就可以活得一帆風順。

但隨著真正地走上社會，我發現並不是這樣的——因為我不是所謂的「趙家人」[40]，我沒有這種權力，家裡的人也沒有，我只能走規規矩矩讀書的道路。大家之前把這條道路說得很美好，但出來社會之後才發現，你只不過是有資格去當一個

40　指權貴階層，語出魯迅的《阿Q正傳》，原型是魯迅先生筆下的趙莊趙太爺。

高級一點的「人礦」而已——你還是要去犧牲你的健康，甚至於犧牲你的生命——就像我之前待的那個行業，每年有很多人猝死。我們只是都在慶幸，這個猝死的人不是自己。但怎麼能保證那個人就不是自己呢？

經歷過這些之後，我開始尋找人生的方向。我這輩子究竟該怎麼活？我應該選擇一個怎樣的職業？一開始我的想法非常的直接：既然這種 996、007[41] 的工作時長我受不了，我就回我老家的城市，找一個每天朝九晚五——當然現在朝九晚五基本上不可能了，每天七八點（下班）就算很早的了——我找一個這種（工作），工資低一點，但我是不是能活得久一點？活得久才能笑到最後嘛。

但我看了一圈，像我家鄉城市的那些工作，工作時長的減少和收入的減少是完全不成正比的。可能你每天工作減少了四個小時，但收入就只有原來的三分之一、四分之一。也就是說，即便你去到了小城市，房價低了，生活成本低了，但是工資會低得更多。所以我就覺得，難道我們想活得久一點，就必須要以這種非常貧困的生活為代價嗎？

41　996，是指早上九點上班、晚上九點下班、每週工作六天；007，是指凌晨零時起上班、翌日零時下班、每週工作七天，全年無休。

我和其他普通的中國孩子一樣，從小也沒有什麼人點撥，一直都走在設計好的「人礦」路線上，也很難一下找到問題根源。我只知道自己最直觀的感受，就是總感覺自己的生活不對勁，感覺未來很灰暗，但卻不知道到底是哪裡出了問題。

我偶然決定要「翻牆」看一看，翻了好幾個月之後，我看了大量的黨史、中國歷史、政治方面的資訊，以及一些五花八門的文科類知識，也從那個時候開始密切關注各種國內國外的時事，然後慢慢覺得找到了一切的答案，才發現原來一切都不是偶然。那段時間自己非常 overwhelmed（不知所措），很多信仰都崩塌了，也抑鬱了很多個月，最難過的時候，可能每天飯也吃不下，覺也睡不著，就躺在床上兩眼發直。

但突然又覺得其實瞭解真相也是尋找光明的第一步，所以慢慢地，我甚至開始慶幸我被「鐵錘」錘醒了，所以就自然不抑鬱了。於是就只想離開這個國家，開始積極地看「潤」各個國家的資訊，也開始瘋狂學英語，尤其是想儘快能肉身離開這個地方，畢竟現在的局勢十分緊張，而且變幻莫測，擔心愈晚出去的話，就愈出不去了。

嚴格來講，其實我現在在中國應該還是能找到工作，而且和同期的青年人相比，收入可能還會更高一些。但是我覺得這

些和未來的風險相比都是蠅頭小利，而且也不可能持續多久。因為當整個蛋糕急劇縮小的時候，即便你分得的比例稍大一些，可能也無法果腹，更別提國內現在各種對民間社會的打壓所造成的生活品質的下降。因為在中國，所有的非權力擁有者不過就是「人礦」罷了，只是分「高級人礦」和「低級人礦」，本質都是會被犧牲的。我不願意，也無法忍受我的一生要成為中共邪惡統治的犧牲品。我只想逃離。哪怕先肉身出去打零工，我也很願意。我不在乎一時間的收入，也不在乎是不是能做「人上人」，我只想在能保障個人權利的土地上，過完平靜且自由的一生。

我覺得我的經歷一方面能反映出當下年輕人的絕望，另一方面也能反映出部分青年人的覺醒。即便是在從小洗腦的愚民環境中長大，又成長為做題機器和工作機器，但還是有部分人會開始思考：我們的社會到底出了什麼問題？根源到底在哪裡？就目前而言，像我這樣暫時有能力當所謂「高級人礦」的青年人，大多還認為歲月靜好，畢竟火沒有燒到自己的眉毛上。中國人又普遍只關注自己的一畝三分地。但隨著「洪水」不斷蔓延，我相信會有愈來愈多的人開始覺醒，最終在內部形成一股力量，當大家不再動不動「唉，資本」、「唉，美國」的時候，我相信中國人就離光明不遠了。

有人可能會說：那你先在國內賺幾年錢再出國也可以。我覺得他們是沒有考慮到愈往後走，收入其實是會不斷降低的。即便我之前所在的那個行業，也已經開始降薪了，而且幅度還並不小。除此之外，還有心理層面上的，待得愈久，其實就會綁得愈深，愈會缺乏改變生活的勇氣。所以說我是覺得要迅速行動。像房地產泡沫、城投債違約的風險，這些都一觸即發。而且中國的人口結構也失衡，與西方脫鉤導致經濟增長也缺乏動力。除此之外，還有這種專制統治帶來的不自由，就不用提了。

我個人認為，其實中國所謂的「經濟騰飛」本身就是畸形的，本質上就是在以竭澤而漁的方式透支未來，這樣的情況下，高速發展二十年，可能就需要全民勒緊褲腰帶──也許四十年──來還債，而這四十年就是我的全部青春，所以說我當然會非常絕望。

最開始確實是沒有想到那麼深。因為我覺得很多人一開始的覺醒，都必須要由自身經歷過的事情開始，以這個為出發點，然後才能慢慢有更深入的思考。我一開始就完全是因為覺得：怎麼回事？自己努力讀書了那麼多年，也去了一個大家都覺得還很不錯的學校，怎麼還是要燃燒自己的生命啊？難道我之前這麼努力，就是為了獲得一個可以燃燒自己生命

的機會嗎？每天工時如此之長，就算年薪百萬又怎麼樣？就
算我能在北京、上海買套房子又怎麼樣？說不定四五十歲還
沒到，就得了癌症——在這種高強度工作下完全有可能。

我覺得作為一個年輕人，我們真的需要多去思考一些東西，
尤其要掌握一些文科類的知識。因為我高中是學理科的，我
就覺得大家升學壓力也很大，每天在學校的時候就是做題機
器，工作的時候就是工作機器，其實整個思考的時間會很
少。黨國它其實也不希望大家思考，希望培養出來的就是不
思考、只工作和做題的機器，來為黨國添磚加瓦。思考得愈
多，可能就愈反動，對吧？

我們的教育就是要訓練你這種服從性，這種教育是深入到每
一科的。比如說我們語文做那種閱讀理解，它就不是培養你
發散性思維，它就是要你去揣摩上意；包括我們這種照本宣
科式的學習，理科就是不停地刷題，它培養的都是服從性。

所以我很能理解為什麼大家不思考。但我覺得這種思考真的
非常重要，比如說歷史和政治。當然我指的不是中國式的歷
史和政治。因為大家都知道中國的歷史和政治，是中共的宣
傳手冊，它不是一個教科書。但我說的是，一種真正的歷史
和政治，這方面的東西非常重要。因為我覺得，很多東西它

其實就是在不斷地輪迴，不僅是在中國輪迴，它可能在德國
法西斯時期也輪迴過，在日本軍國主義時期也輪迴過，很多
東西和我們今天正在發生的一模一樣；即便不是一模一樣，
我們也完全可以從歷史中找到現實的蛛絲馬跡。

所以我覺得瞭解歷史，相當於瞭解一個人的橫軸，因為從古
至今；瞭解政治，其實就是知道當今的社會在發生什麼、我
們應該怎麼樣去生活、我們應該怎麼主張自己的權利，這是
一個縱向的、對自己在這個社會中的一種定位。一個橫軸，
一個縱軸，我覺得都非常重要，只有當你思考清楚這些之
後，你才知道自己是個怎麼樣的人，我們的這個社會是怎麼
樣的，這個世界是怎麼樣的，你才能清楚地知道你在這個社
會中，在這個時代中，在這個世界上處於一個什麼樣的位
置。這樣你才能知道該怎麼走，該如何設定自己的目標。

蕭條中掙扎的農民工

節目播出時間：2023 年 10 月 22 日、11 月 11 日

中國經濟奇蹟的背後，是近三億的「農民工」——他們建起了高樓大廈、高速鐵路和公路；他們在流水線上做出服裝、電器和手機，換取了天量外匯；他們在城市裡端盤子、洗盤子、送外賣。但他們的工作幾乎沒有任何保障，甚至經常是零工或者是季節性崗位。他們甚至不進入國家統計數字：統計局的失業率只計算城鎮失業人口，不算農民工；農民工的月收入也只統計有工作的月份，沒有工作時是不計入統計的。

習近平在 2020 年的講話中承認，「經濟一有波動，首當其衝受影響的是農民工。」他說在 2008 年金融危機期間，中國有兩千多萬找不到工作的農民工返鄉。而在 2020 年，有近三千萬農民工因為疫情被迫留在家鄉，也沒辦法工作。

習近平在講話中說，兩次農民工的大規模返鄉沒有帶來任何社會問題，因為他們「在老家還有塊地、有棟房，回去有地種、有飯吃、有事幹」。但是這並不是中國農村的普遍現狀。

對大部分在城市長期工作生活的農民工而言，回到家鄉意味著無法維生。

本期節目的受訪者都只有二三十歲，但他們看着自己的父母和祖父母，知道自己可能不會有退休的那一天。他們不敢結婚、不敢生孩子、生病了不敢上醫院，也無法躺平，必須一直幹活直到幹不動，因為他們沒有失業金可以領，父母的退休金每個月只有一兩百塊錢。

張先生：你要是覺得生活幸福，才能把孩子生下來

袁　莉：你能不能先介紹一下你自己？

張先生：我姓張，今年 28 歲，老家是遼寧省一個縣城的農村裡。我上學上到了初三就不想上了，然後我念了兩年的技校，學的電焊。學電焊是因為家裡有人做這行，學完了能帶帶我。

我大概是 2013 年參加工作，然後這些年就是幹電焊，不幹電焊的時候就做做銷售。我之前就在家鄉周邊，哪兒有活去哪兒，像是北京啊，內蒙啊，有活就去。我現在是在廣州，因為今年初出來，焊工活沒找到，來廣州找了個銷售工作，賣減肥藥，結果上了四十天班就辭職了，然後又待業了四個月。

袁　莉：你為什麼辭職呢？

張先生：辭職的原因是那個公司的條條框框要求太多，而且沒個上下班時間，白天上班雖然比較閒，但晚上回家之後，客戶就會有各種問題來問你，你要陪他們聊天。而且公司還有很多違禁詞，「沒有效果包退」什麼的，只要說了，查出

來，就會被罰款。

袁　莉：這四十天你掙了多少錢呢？

張先生：大約六千塊錢（人民幣，下同，約合新台幣 27,000元）。

袁　莉：從 2013 年到現在，你的工資大概是一個什麼樣子的趨勢？還有活是好找的嗎？

張先生：我的工作也經常是有一搭沒一搭的，前兩年幹電焊，一般一個項目兩三個月完工，有活的時候就在那幹，沒活就放假。

放假也是沒有工資的，只能自己找點零活，找不到的話就去幹點銷售。如果連銷售也找不到合適的，可能就是在出租房待著。疫情這幾年也都沒怎麼幹，去年一共就上了半個月班吧。

袁　莉：我不知道你結婚了沒有，有沒有小孩？

張先生：我沒結婚也沒小孩。

去年年初還有點存款嘛，一萬來塊錢。去年我們家鄉老是封村，挺嚴格的。村路口的都拿木頭擋上，馬路上也沒有車，縣裡的超市也都沒開。去年大概封到了五月，因為在家待的時間太長了，我就尋思上瀋陽找點活兒幹。去了瀋陽三個月，上了就有半個月班吧，因為工作也不好找了，加上老封城和做核酸啥的，找工作受到很大影響。然後九月末我就回家了，一直待到今年年初。尋思找點電焊活兒，但沒啥合適的活兒，我就來廣州這邊了。這邊反正比老家那邊能稍微強點吧，不管咋地，想幹活兒能多點兒，別管它啥活兒吧。

袁　莉：你父母他們還是在農村嗎，他們也出來打工嗎？

張先生：我媽的話就是在老家，她之前在縣裡的服裝廠工作，以前也會點兒裁縫之類的技術。她也不幹兩三個月了，因為服裝廠老闆拖欠工資，然後就不幹了。我爸是在北京幹工程這方面的活兒。

袁　莉：你現在的住宿生活環境是什麼樣子？

張先生：我現在在廣州住，房租比較便宜。我對生活的要求，就是有個住的地方就行。我剛來廣州那會兒，租房子才每月320元吧，在白雲區。房子挺小的，就一張床，然後還有一

個小衛生間。之前那個不帶陽台，後來我搬家了，換了一個帶小陽台的房子，大概每月 400 元，位置比之前那個稍微好一點。

我要是失業的話，問題也不是很大，我也不是很急。我吃飯一般都是自己做，上班也都是自己做飯，然後帶到公司。我基本一天兩頓飯，吃的也比較簡單，花不了多少錢，然後我租的房子也不貴。如果在家，吃住也不花錢，每個月有個一兩百的零花錢就夠了。

袁　莉：你們家裡現在還有田嗎？你們當地都主要是種什麼樣的農作物呢？

張先生：我家有一點地，種的是玉米，每年產出的玉米也就能賣個 1,500 塊錢左右，所以光靠種地肯定不行。我感覺但凡有點能耐的，都不會去務農。一個是糧食不值錢，你種地的話根本不掙錢，而且真的太辛苦了。我感覺在外面打工幹零活，一天掙個一百來塊錢都比種地強。

袁　莉：是，如果你們家那點地一年才能收一兩千塊錢，幹半個月的收入也差不多了。你們農村戶口的醫保和社保[42]，

42　醫保，指醫療保險；社保，指社會保險。

有沒有呢？比如說，你生病了怎麼辦？失業了怎麼辦？年紀大了怎麼辦？

張先生：我們農村戶口有醫保，但年年得交錢，今年年初好像交了三四百吧。我讓我媽別交，因為沒用，但我媽不信，她擔心萬一她有點啥事，住院啥的，就非要交。我覺得交醫保之後，變相的看病就變貴了。以前五百塊能治好的病，（醫院）找你要一千，然後給你報五百，裡外還是一回事。我身邊以前一起幹活的人的姐姐，去年好像是得了乳腺癌，得花個幾十萬做手術，根本看不起，都得發個「水滴籌」[43] 啥的，在朋友圈籌錢。

最近這些年我還真沒怎麼得過什麼病，我爸我媽也沒。其實我感覺在農村那地方，你要是得了大病，根本看不起；小病就靠挺，自己去買點藥就好了。

農村的老年人也沒什麼退休金，只有一些補助。我爺和我奶74歲，國家給每人每年一共 1,400 元，他們兩個人就是 2,800 元，但是每年他倆每人交農村醫療保險 380 元，倆人 760 元。前一陣子我奶生病住院，花了大概 7,000 元，給報銷 3,400

43　「水滴籌」，中國的個人大病求助平台。

元左右。

袁　莉：你還沒有結婚。我聽說現在農村結婚的成本非常高，很多人結不起婚，是這樣子嗎？

張先生：確實是。我哥他結婚了，他是自己處的對象，也沒要多少彩禮，婚後就是跟我大娘他們住在一起。像我身邊，小時候一起玩的朋友，他們結婚很多是靠別人介紹的，他家連彩禮都是借的，連房子的首付也是借的。

袁　莉：你們那邊彩禮大概要多少錢？

張先生：我們這邊結婚彩禮也得十來萬。但是我感覺要是自己處的話能少點，這啥事不都看商量嘛，但是正常的話也得十萬左右。

袁　莉：還要買房是吧，至少到縣城裡面去買個房。

張先生：對。但是我家那的房價還是相對比較低一點，才三四千塊錢一平（方）米，這在全國算是低的，但是我感覺還是挺貴的。

袁　莉：你為什麼不結婚呢？是你沒找到合適的，還是因為結婚的成本太高？

張先生：不結婚是沒有遇到合適的。以前歲數小，心也不定，找了一個也相處不長。現在的話，反正我不打算要孩子，所以結婚就是隨緣，有合適的就處吧，沒有合適的就單著也挺好的。今年家裡也有人給我介紹，我都不想去，我想自己處，不想讓人介紹。

我以前要是結婚也能結吧，如果二十出頭那會兒結婚，現在孩子估計都挺大了。但以前歲數小，加上一些原因，我倆人沒能走到一起。現在我還挺慶幸當時沒結婚沒生子。

袁　莉：為什麼慶幸呢？

張先生：我以前是「小粉紅」啊，就感覺這國家挺好、挺愛國的，但我現在用 YouTube 看到一些事情之後，發現跟我以前的認知完全不一樣，我就挺失望的。我認為一個人，你要是覺得生活幸福，才能把孩子生下來，這也是一個負責任的想法。如果你覺得生活都過得挺糟糕的，你說你生孩子，那不是害孩子嗎？

袁　莉：你前段時間發過一條推文，寫的是：「我的理想國家是百姓安居樂業，食品安全，身心言論自由，司法公正，媒體能揭露不公，對勞動者能給予五天八小時工作制，重視教育且不帶有仇恨，公務員為民服務且廉潔。如果能做到這些，無論是哪個人執政，哪個黨派執政，執政多久我都支持。」你能解釋一下為什麼這是你的理想國家？現在的中國離你的理想有多遠？

張先生：那差太遠了。就舉一個簡單的例子，大街上貼的什麼「社會主義核心價值觀」，你看它哪條達成了？什麼民主、自由，法治啥的，但凡達成一條，我感覺都不至於搞成現在這樣。

我覺得對一個普通人來說，比較重要的就是法治的環境。就是像你打工的話，尤其是像我媽那樣，給別人幹活都擔驚受怕的，對方拖欠工資，仲裁沒個一年半載的都弄不下來。

袁　莉：你的推特還有一個標籤是「躺平青年」，你給我發的私信裡也說：「我經常回農村躺平。我老家東北，一般都是每年外出打工，有的一兩個月，有的半年，剩下時間回農村躺平、務農。」但我不知道你會焦慮嗎？你對以後的生活有什麼計劃？因為你並沒有社保、醫保，也沒有退休金，你

「躺平」了最後怎麼辦？

張先生：焦慮，有時候肯定會焦慮，但要自己去調節，因為大環境確實挺難的。前兩天我刷抖音，我看到中國首富馬雲都說了：都難都難，現在都難。你看中國首富都難，咱普通人就更不用說了。反正沒錢的話，就想辦法去賺點錢。

但就我個人來講，我還是挺幸運的吧，我還是有一些選擇。前幾年，我媽想貸款買個房子，然後就是因為我不想有那麼大壓力，就沒讓她買。我還是感覺在現在，不買房、不生孩子是挺對的。

對今後的規劃，我也不敢想得太遠，目前就是掙點錢，至少能保證自己生存下去吧。如果實在找不到什麼活兒，就回家待著了。現在也沒什麼年輕人在家裡純粹躺平的。我身邊一般就是出去幹個幾個月或半年左右的零活，然後剩下時間在家裡待著，家裡有點啥活兒就跟著幹點兒。常年在家待著，很容易讓人說閒話。

袁　莉：你現在出來十年了，是吧？你十七八歲的時候從技校畢業，然後開始工作，那時候的工作好找嗎？

張先生：那時候工作我感覺還挺多的，只要你想幹活，一般都能有活幹，以前我也挺有幹勁兒的。

前幾年，我幹那個焊工活兒，雖然辛苦，但每天能掙到三四百塊錢，手裡幾萬塊錢零錢沒斷過。最近這兩年，因為活兒少啊，找不著活兒。尤其是去年和今年，現在花幾塊錢都得想一想了，能不花儘量就不花了。因為活兒少，我是真沒辦法。

袁　莉：你這次回去了，明年還會出來找活嗎？

張先生：明年先不打算幹銷售了，儘量幹點兒電焊的活兒吧。不管咋地，掙得稍微能多點兒。幹銷售的話，找感覺比在工地幹活都累，比我幹電焊都累。太費腦子了，一天天總尋思怎麼幹，然後壓力也大，老闆老催你出業績。

袁　莉：明年過完年，你打算去什麼地方去找活兒呢？

張先生：明年過完年打聽打聽吧，看看家裡親戚有沒有啥活兒的跟著幹。幹點電焊活兒，不管再怎麼樣，好歹能存下點錢，幹銷售自己都快養活不起了。

袁　莉：你現在存摺上有多少錢呢，可以問嗎？

張先生：沒錢，就真沒錢。我現在有一千，我「花唄」[44] 還欠兩千呢。但實話說，雖然沒錢，但我現在也無所謂了，錢那玩意有就有，沒有就算了。

袁　莉：無所謂是什麼意思呢？

張先生：就是放棄了，躺平了。

袁　莉：躺平了。也不結婚，也不生孩子，也不要買房，反正就是躺平了。

張先生：房子肯定不買了，孩子是真不打算生。結婚的話看情況，將來遇到合適的，就找個人一起搭伙過日子，沒有的話就自己過了。

44　「花唄」是一款 2015 年在中國出現、由「螞蟻金服」推出的消費信貸產品，其功能類似於信用卡。

關先生：現實擺在這裡，熱情沒用

袁　莉：你能不能先介紹一下你自己？

關先生：我是九十後，出生在甘肅農村，父母也是農民，文化程度是高中。高中之後，我去廣東那邊做房產中介，做了五年，然後在 2019 年年底疫情爆發的時候回了老家。

袁　莉：你做房產中介的時候，大概的工作情況是怎麼樣？你住在什麼樣的地方？你的收入大概是多少？

關先生：當時我住在城中村，一個月房租七八百。然後主要是賣深圳、還有深圳周邊的一些房產。工資的話，底薪也就一兩千塊錢，主要還是靠提成，所以說也沒說固定一個月有多少收入。反正基本上賣一套房子，能拿到手的話，好一點能兩三萬，差點的話不到一萬塊錢。平均下來，可能一個月不到一萬塊錢。

袁　莉：可以說一下你的住宿、生活環境嗎？

關先生：就是城中村的一個小房間，都是一個人租住的。

袁　莉：你覺得你在深圳那幾年過得怎麼樣呢？艱苦嗎？

關先生：辛苦倒還不辛苦，因為我畢竟是農村出身。在大城市生活，做這種銷售其實辛苦談不上，但就是發現我自己不適合做銷售，相對來講還是比較適合做藍領工作。

袁　莉：在深圳的時候，你有沒有想過去工廠打工呢？

關先生：沒有想過。因為在一起工作的同事，之前也在工廠做過，感覺比做房產中介更辛苦，而且收入也不高，所以就沒有去做。

袁　莉：你 2019 年底回到家，這幾年都是做什麼工作？都是怎麼過的呢？

關先生：我回來之後到現在，一直在工地開挖掘機。

袁　莉：這三年多，你的生活和工作狀態是什麼樣的？

關先生：如果在家，基本上就是跟父母在一起。反正隔離嘛，哪裡也去不了，吃住就不花錢。在工地上，基本上都是去一些大山裡面，條件相對來講就比較艱苦一點，住的都是

那種用彩鋼皮臨時搭建的房屋。工資一個月大概八千到一萬左右，吃住基本上都在工地。

袁　莉：在甘肅，八千到一萬其實還不錯了，是不是？

關先生：對，是還可以。但是相對來講，因為進入冬天，工地就施不了工了，在沒有疫情的情況下，一年就能幹九個月、十個月。

袁　莉：但工作是不是會比較辛苦？

關先生：對，畢竟挖掘機嘛，它主要是去一些山裡修路，然後每天正常是工作十個小時，早晨五個小時，下午五個小時。

袁　莉：那你覺得辛苦嗎？和你原來做中介來相比呢？

關先生：我覺得我更適合做藍領。因為做銷售和人打交道那種工作，感覺我真的不適合。做這種雖然辛苦，但在甘肅我覺得還可以，但這也不是一個長久的辦法，因為工作強度很大，年輕的時候可以，但是稍微一上年齡，那樣坐著根本做不下去。

袁　莉：這種工作難找嗎？

關先生：我印象特別深的是疫情之後，雖然沒有那些封控了，但我們這裡的工程量一年比一年少，同時結款也是一年比一年難，拖欠工資的情況特別多。整體來講，形勢是一年不如一年。

袁　莉：你有被拖欠工資嗎？

關先生：有。我那次拖欠得不多，也就五千多塊錢，是在疫情期間。然後實在沒辦法了，就找勞動局。過了一個多月，最後拿到手了。

袁　莉：除了每個月的工資以外，你們有「五險一金」和其他一些福利嗎？

關先生：這些都沒有。除了工資以外，你要是不幹活的話，就沒有一分錢，各種保險都沒有。然後現在不是那種偷稅漏稅嘛，老闆發工資都是給我們發現金，或者是微信轉帳，所以這些保險都沒有。

袁　莉：你們生病了怎麼辦呢？

關先生：我們生病就自己花錢，就這樣，沒有任何保障的。

袁　莉：農村沒有醫保嗎？不是有所謂的「新農合」之類的？

關先生：是有，這個是農村的醫保，看病好像能報百分之六十幾到七十幾，但是好多藥是不報銷的。

袁　莉：你剛才說你的這個工作，可能就是年輕的時候幹一些年，等年紀大了就需要找別的活。我想問一下，你打算幹到什麼時候？你以後打算找什麼樣的工作呢？

關先生：其實說心裡話啊，我整個人是迷茫的，因為環境又不好，身邊的資源又有限，其實真的沒有什麼選擇。

袁　莉：那你父母呢？他們一直都是在農村嗎？你小的時候他們有出去打過工嗎？

關先生：我父母都一直在農村，就是靠種地。我記得小的時候，我父親就會跟村裡面的其他男性出去打工，女性的話就會留在家裡看孩子或者種地。

但因為種地收入不高，種地的基本上都是一些打工人家不

要、只能待在家裡的人。能出去打工的人，都會去外面打工。

袁　莉：你們家大概有多少畝地呢？

關先生：我們家水稻，現在都是別人去種。玉米的話呢，可能就五六畝左右。

袁　莉：你結婚了嗎？

關先生：我沒有，我還單身。

袁　莉：那你有結婚的打算嗎？或者你家裡面人是怎麼考慮的呢？

關先生：父母就畢竟是農村的，沒有太多的這種想法，說白了就是傳宗接代。對我自己來說，結婚也好、不結婚也好，反正日子都挺難過的。所以如果能夠遇到合適的就還好，遇不到合適的話就單身。

袁　莉：我聽說現在農村結婚的成本非常高，很多人結不起婚，是這樣嗎？

關先生：是這樣的。彩禮的話，正常要有十二萬多到二十萬。房子、車子之類也都是需要的。

你可能辛辛苦苦攢好幾年的錢，然後結婚生小孩，再然後呢？你未來的工作和工資是沒保障的，更別說小孩的教育，父母的醫療、養老等等。

袁　莉：也不太敢花錢，是不是？

關先生：對，根本不敢花錢。我身邊有很多村裡的朋友，有些在工廠，有些在菜市場做一些批發生意，也是給別人打工，每個月發上貨發下來，還了房貸或者車貸，每個月都緊巴巴的，有的時候還不夠還，這是一個普遍的狀態。

袁　莉：那你自己呢？有沒有定一個目標，每個月存多少錢？

關先生：反正我的吃住基本上都是在工地。除了給家人買藥、買東西，基本上大多數錢都會存下來。因為現在太多不確定性了，既然已經做了這種工作，那繼續做下去，反正也沒有更好的選擇。先存一點錢，過幾年之後再說。

袁　莉：我能問你現在大概有多少存款嗎？存夠了娶媳婦的錢嗎？

關先生：那沒有。而且娶媳婦太沒有保障了。畢竟結婚的目的就是傳宗接代，我們這邊基本上經濟來源都要靠男方，如果說經濟一旦出問題的話，各種問題都會出來，包括離婚，所以說成本還是很高的。

袁　莉：離婚率高嗎？

關先生：特別高，我感覺至少 50％以上吧。

袁　莉：所以你對結婚也沒有特別大的熱情，是吧？

關先生：現實擺在這裡，你有熱情沒用。

袁　莉：你做過農活嗎？你如果以後年紀稍微大一點，會考慮做農活來維生嗎？

關先生：首先一點，做農活維生肯定是行不通的。我從小時候到現在，每年只要工地這邊有閒的時間，或者放假沒活的話，都會幫家裡做農活。但農活收入太少了，除非你去承包

274

別人的土地，用機械化的方式去做農活，還可以養家餬口，要是只種自己家裡的地，是絕對行不通的。

袁　莉：你的父母需要一直工作嗎？農村是沒有退休這麼一說的嗎？

關先生：對。農村的話，各種保障是沒有的，沒有什麼退休不退休，只要能幹動活，不管是給自己的小孩帶小孩，或者是去周邊的一些地裡，只要自己能走得動，都會去幫著自己的孩子去管理這些東西。然後自己的小孩一般都是去外面去打工。做不動這些了，也就是在病床上面躺著，基本上都是這樣的。

袁　莉：你有考慮過以後你老了怎麼辦嗎？

關先生：我已經考慮清楚了，現在的能力狀況就這樣，只能說自己先存點錢，至於以後怎樣，真的是不好說，可能都活不到那個年紀。

像現在我知道的身邊的男性沒有結婚的，一方面是沒有找到合適的，但更多的是因為沒有錢，而並不是所謂的政治環境的擠壓。他們意識不到這點，大多數就是單純缺錢。

Hunter：我要向上帝祈禱，早日逃離中國

袁　莉：你能不能先介紹一下你自己？

Hunter Ge（**下稱 Hunter**）**：**我叫 Hunter Ge，河南人，我今年 34 歲，目前在江蘇蘇州一家工廠工作。之前在富士康工作了六七年時間。

我的家鄉是河南農村，我中學都沒有唸完，17 歲就輟學了。輟學之後，有去過河南焦作、鄭州、上海、天津做一些零工，例如工地、裝修，也做過銷售。

袁　莉：你從 17 歲的時候開始打工，那會兒大概掙多少錢？後來到富士康以後，你大概一個月能掙多少錢？

Hunter：我記得我第一次出來工作，是去天津做的小工。當時我是在工地上幫著做水電工，好像是 20 元一天。

後來去做銷售也是沒學成，我的口才也不行，就算是半途而廢，掙錢也不多。後來到了富士康，第一年的月薪是 1,350 元，如果我沒記錯的話。

袁　莉：2011 年、2012 年的時候，是吧？

Hunter：對。

袁　莉：那你們工作要多長時間？

Hunter：十個小時吧。

袁　莉：一週工作幾天？

Hunter：一週工作六天，週日休息。但實際上算上加班費，每個月加起來就能拿兩千多、三千。後來富士康的工資一直在漲，當時中國的經濟狀況還是蠻好的。我當時還不太懂事，也不怎麼好好上班，加班也不想加，掙一點錢就沒事兒去談談戀愛，跟小女友出去逛一逛啊，用現在的話說就是「躺平青年」。

袁　莉：你中間為什麼不幹了，又回家去務農去了呢？

Hunter：當時是因為家裡也嫌棄在富士康掙不到錢，第一個底薪比較低嘛，第二個我也是「半躺平」的。然後家裡人想讓我回去幫忙，因為我家會收購一些糧食，再轉賣出去，

家庭條件在當地還算不錯。但我父親對我要求比較嚴苛，我很不喜歡跟他在一塊，後來就又出來打工了，因為野慣了。

袁　莉：你到前幾年在富士康工作時，大概一個月能掙多少錢？

Hunter：因為鄭州富士康是做蘋果公司產品，工資是分淡季跟旺季。如果淡季的話，每個月就拿底薪，加班的話也就加三十個小時左右吧。中國的法律規定是，平時加班費是標準工資的 1.5 倍，週六日就是雙倍，法定節假日是三倍。如果綜合下來的話，每個月有三千左右。疫情前，旺季的話可以多拿一點，拿到五千多，甚至六千多；但如果想拿六千多，那幾乎是沒有休息的。

袁　莉：就一個月都不休息，然後每天要工作多長時間？

Hunter：十個小時。有的時候是十個半小時或者十一個小時，然後就是工作三十天休息一天。疫情期間工資會多一點，因為當時富士康的名聲不是很好，外加疫情在中國渲染得比較厲害，沒有人願意過來上班，害怕被感染。後來國外已經放開之後，這邊還是管控得比較嚴；但很多人還是有擔憂，所以工價比較高，那時候一個月都有一萬、甚至兩萬。

袁　莉：疫情期間反而工資高這麼多？

Hunter：對，可能就是平時國內新聞看多了的人，心理壓力是非常大的，就感覺隨時隨地就沒命了，是拿命在掙錢。

袁　莉：你覺得其實無所謂，是吧？

Hunter：我經常看外面的新聞，知道奧密克戎（Omicron）到底是一個什麼樣的狀況，但是當時國內很多人確實不大清楚。

袁　莉：你今年年初從鄭州富士康離職後到江蘇這邊來打工，找工作容易嗎？

Hunter：現在找工作相對來說還是比較容易的。在國外的朋友就感覺現在中國找工作特別困難，其實並不是。特別像現在的工廠，天天在招工。如果你的要求不高的話，很容易能找到一份工作，但掙的錢不多。

袁　莉：你現在這個工作，和以前比，收入和工作時間怎麼樣？

Hunter：因為我在富士康那邊也算是一個管理人員，雖然職位不高，但對於我這種初中學歷還OK吧。但我來到這邊，是從普工（普通的流水線員工）做起。這邊有個人算是我的主管，我們聊過幾次，他還是蠻欣賞我的；我做了兩天流水線，就讓我來帶人了，所以也算是一個基層管理人員吧。每天的工作時間是早上七點上班，到晚上六點半下班，中間有一個半小時的吃飯時間，我從上月25號開始，到今天都沒有休息過，整整兩週了。

袁　莉：那你七月份來了以後，收入是多少呢？

Hunter：上個月的話，因為我剛來，只發了一次工資。上個月發了3,900多，但我只上了二十天班，沒有上滿一個月。

袁　莉：九月份你工資應該多一些，對不對？

Hunter：對，下個月發工資應該多一點。因為沒有休息又過節，加起來的話應該能拿到七千到八千吧。

袁　莉：你現在對於工作狀況滿意嗎？你現在34歲了，我不知道你結沒結婚、有沒有小孩，接下來對自己的生活或者是工作有什麼規劃嗎？

Hunter：目前的工作狀況我是極度不滿意的。第一個不滿意是，不管是待遇方面，包括這個企業的管理模式，我都不是很喜歡。另外一個原因，我感覺在國內生活得特別壓抑，什麼都不能說。

我因為在推特上比較活躍，還被當地警察約談了，被關了24個小時，我有幾天特別憤懣，又不知道該給誰說，他們當時還把我的手機收走了。

我就想在中國待不下去了，因為他們沒找我之前，我都有一個打算：我的規劃是未來五年在國內安安分分，努力掙錢，然後可能就會考慮「走線」去美國。

這是我的人生規劃，我不是說說而已。我在富士康，因為是在辦公室上班，很輕鬆；但即便輕鬆，我都感到很壓抑。有些時候不想上班了，我就直接請假了。但是我到這邊上班的第一天就感冒了，不舒服的狀態持續了一個半月，我都硬撐下來了。我每天都在堅持，我的動力就是說，我要向上帝祈禱，讓我早日逃離中國。

袁　莉：你打工這麼多年，你有多少存款？

Hunter：幾乎沒有吧，因為我有小孩。

袁　莉：你結了婚，有小孩？

Hunter：對，有小孩。然後前幾年還離婚了。雖然不能說一貧如洗，但也差不了多少了。

袁　莉：你的孩子是父母在帶，是嗎？

Hunter：對。所以嚴格意義來說還在啃老。

袁　莉：你多長時間能見一次你兒子呢？

Hunter：在富士康的話，我隨時都可以回家。在這邊的話，我從來之後就沒有回去，可能只有過年回去了。

袁　莉：你現在有目標了是嗎？有了人生的目標，所以你要存錢。

Hunter：對，有人生的規劃就可以存錢了。原來的話，也不能說存不住錢吧，就是存不住更多的錢，就感覺有一點錢就想花掉。

袁　莉：說實話，也沒有多少錢，對不對？

Hunter：對，也沒有多少錢。你要是存點錢回家的話，過年就大手大腳的，給這個買點東西、給那個買點東西。

袁　莉：你還要養兒子。

Hunter：對，還要給小孩錢，我喜歡給小孩錢。

袁　莉：那你父母他們還需要種田嗎？

Hunter：他們還是要種田，他們也閒不住。家裡的田也不多，我們家大概十畝田吧，都是種的小麥和玉米。

袁　莉：你這種「潤」的決定，是因為你覺得這樣打工下去沒有前景呢，還是因為政治上的壓抑呢，還是因為什麼呢？

Hunter：有一句話這麼說：「生命誠可貴，愛情價更高，若為自由故，兩者皆可拋。」

我認識好多美國的朋友，還有一些媒體記者，還有一些做項

目的，一些勞工、人權方面的人士；跟他們溝通，從他們那邊學習到好多東西。我感覺國內現在這樣，我看不到希望，看不到未來，所以說還是「潤」比較好。

袁　莉：你說你「看不到希望、看不到未來」，是經濟上、政治上，還是你個人生活上呢？

Hunter：首先是政治上的考量吧。因為我比較關心一些時政問題。雖然現在他們不讓我講了，我還是要講一下，就是這個世界上黑夜與白天那麼分明，但還是有好多人分不清。就好比說現在的俄烏戰爭一樣，對錯就像黑夜跟白天一樣分明，但國內有很多人都不能理解。當我給他們講俄羅斯是怎麼去入侵烏克蘭的時候，他們都感覺我是個精神有問題的人。

袁　莉：你就是覺得自己很孤獨，是吧？周圍的人沒辦法理解你。

Hunter：這是一方面吧，主要還是覺得自己沒有任何存在的價值。人活著還是要找到自己存在的價值。給我感觸最深的就是，有一次我回家裡，我給兒子講台海問題，講台灣的一些問題，然後我兒子就非常不客氣地指責我，質問我：「你

是中國人嗎？」

袁　莉：你兒子多大？

Hunter：今年 11 歲了。他連父母的話都不聽，都不願意講。我就再心平氣和地給他講，我說你聽我講完，你再做判斷，你要有自己的想法。他就直接只回一句：「你是中國人嗎？」我就感覺這個國家、這個民族，真的是一點希望都沒有。

袁　莉：你父母他們有沒有醫保、社保呢？你有沒有想過，萬一自己「潤」不出去，以後老了怎麼辦？

Hunter：因為我家裡還算是比較有錢的，所以我也沒有想過父母老了就老無所依吧。我父親經常給我說一句話：不求我給他養老，自己老了去養老院之類的。但因為我外公、外婆都還在世，所以我對於醫保這塊還是比較瞭解的。去年我外婆因為「新冠」住院了，她年紀比較大了，所以在醫院住了兩個月。醫保確實是會報一部分，但有很多項目是報銷不了的。養老金更不行，我外公、外婆他們一個月就一兩百塊的養老金。

袁　莉：所以還是要靠兒女，是不是？

Hunter：中國人養老肯定要靠兒女的，要不然的話，靠政府養老是不可能的。

袁　莉：你父母多大了？他們退休了嗎？

Hunter：對於農村來說，沒有退休這一說。我說一個比較辛酸的，我外公今年 90 歲了，去年因為我外婆生病，然後他就到一個私人養豬場去清理糞便，是一個很髒很累的工作。雖然我媽媽、舅舅會給他錢花，但他還是堅持要去做。

袁　莉：那還是挺重的活。他 90 歲了，一個月能拿多少錢？

Hunter：好像八百還是一千，我記不清了。

袁　莉：他現在還在做嗎？

Hunter：現在還在做。你說中國人還能退休嗎？

袁　莉：但是他如果不做這份工作，他一個月就只有一百多，不到兩百塊錢的收入。

Hunter：對啊。你想吧，他平時如果沒有工作、沒有收入

的話，一個月就是一兩百塊收入。他有時也需要零用錢。在農村，別人家裡辦喪事、辦喜事，他要去給人家出個份子錢，等等。而且像他這麼大年紀，人家喊你去，你不能不去。他如果沒有錢的話，也不好意思張口去跟兒子、女兒要。

袁　莉：我想問，你要是想找工廠的這種工作，也不是那麼難的？

Hunter：不是很難，是相當容易。你願意做的話，今天過來，明天就可以上班了，就這麼簡單。

袁　莉：那為什麼年輕人都說找不到工作呢？

Hunter：找不到工作，是大家不願意去工廠打螺絲，會累呀。像我一樣，從 25 號到今天，一天都沒有休息，天天上班。就像我從昨晚七點半上到了今天早上七點，你應該能看出來，我已經很疲憊了。

而且工作內容非常重複，一個動作讓你一直做。而且你的速度要配合那些機器，例如說，這個機器它在 30 秒就要做一個零件，你的手就要不停，要做 30 秒，不能讓機器停下來。所以說年輕人不是找不到工作，而是找不到像前幾年經濟條

件比較好的時候——你去做個售樓呀，去賣個車子呀，月入上萬——現在那種好事是沒有了。但像工廠這種廉價工作還是有的，只是沒人願意過來做了。

袁　莉：所以很多年輕人，他們寧願去送外賣，也不願意來工廠打工，對不對？

Hunter：對，是這樣的。而且就像現在我所在的這個工廠，我們這一條線大約七十多個人吧，只有四個「正式工」，其餘的全部是「小時工」。

袁　莉：「正式工」和「小時工」有什麼區別？

Hunter：「小時工」就是沒有簽訂正式的勞動合同，是中介公司招過來的。

袁　莉：然後錢最後就發到中介公司，他們從中介那去拿？

Hunter：對，而且這是嚴重的違法，因為中國的《勞務派遣暫行規定》第二章第四條規定：「用工單位應當嚴格控制勞務派遣用工數量，使用的被派遣勞動者數量不得超過其用工總量的 10％。」

袁　莉：你呢？你是算正式的，是不是？

Hunter：我是「正式工」。我拒絕跟黑中介合作，哪怕是工資稍微低點，我辛苦一點，我也不願意跟黑中介去合作。

袁　莉：那為什麼這麼多年輕人都要來做「小時工」？他們做「正式工」是會很難嗎？還是不划算？

Hunter：做正式工就是錢少一點，做小時工現在是 30 元一小時，但是正式工的底薪是 2,880，折合下來時薪 20 元還不到。

袁　莉：為什麼公司不願意更穩定一些呢？

Hunter：我感覺是因為公司也打算隨時不做了。因為現在我們這個公司有好幾個廠就賣掉了，把整個廠，連員工帶機器什麼的全部賣給其他公司了。

袁　莉：你打了這麼多年工，有沒有一個地方給你交「五險一金」呢？

Hunter：富士康都有交。但我感覺這個沒有用。

就醫保可能會有點用吧，平時看病可以直接拿點藥。我也不準備買房子，鄭州的住房公積金是提取不出來的，就沒有用。我前一段時間失業了一個月吧，失業保障金我也取不出來錢，政府都沒錢了。

袁　莉：你有試著去取嗎？

Hunter：我有試著去取，我問了，他們都說取不出來。我朋友有取出來的，但有好多取不出來。有個別人能取出來，要找人，要給中介公司錢，他們能幫你取出來一部分。然後養老保險，我不準備在中國養老，交那個就沒用了。

龐先生：要心存希望，希望國家能變好

袁　莉：你能不能先介紹一下你自己？

龐先生：我 1989 年出生，現在是一名長途的貨車司機。

袁　莉：你什麼時候開始拉（長途貨車）的？從 24 歲開始拉到現在？

龐先生：沒有。我高中畢業後在家遊遊蕩蕩了一兩年，父母說實在話水平也不高，也沒法止確地引導我。後來我考了一個貨車駕照，2013 年到 2015 年，在中國電信那裡安裝網絡，2017 年開始開貨車。

袁　莉：你們做長途客運司機，一般要開多長時間？你們一般怎麼休息，收入大概是多少？

龐先生：收入還行，就是有點累，長途一般兩個人換著開，三天一個來回。我這個活還挺輕鬆的，來回杭州跟深圳之間就是 48 小時以內。

袁　莉：那你們中途睡覺嗎？

龐先生：對，車上也有臥鋪的。因為國內現在對疲勞駕駛查得很嚴。我們四個小時之內要換班的。要是很長的那種長途，兩千多公里，就很累。我們這種 1,300 公里的，還算輕鬆。

袁　莉：但只能這樣四小時睡一次，是嗎？

龐先生：只能說習慣了，做牛做馬習慣了，其實還是很累的。

袁　莉：你們收入怎麼樣呢？

龐先生：收入的話，我們論月的，一個月有 13,000、14,000 左右，就是拿青春、拿身體來換錢了。現在這一兩年，對疲勞駕駛查得嚴格一點了，以前還有一個人幹的，一個月能拿兩萬多，但不安全，出問題很多。我知道有兩個司機，年齡大一點的，開著開著，因為沒什麼時間休息，就睡著起不來了，就死了。

袁　莉：你開了六七年的車，能感覺到這些年經濟狀況有什麼變化嗎？比如說你們的活，現在多了呢，還是少了呢？

龐先生：少了啊，自從馬雲給打壓之後，貨量的確少了，也

有可能經濟大環境變差了吧，的確不太好了。

袁　莉：你怎麼能感覺到呢？

龐先生：我沒感覺到，因為我看到公司別的同事，主要跑那些不是很繁榮的城市的同事，他們的活真的少了。像我東莞到杭州、深圳這些城市，還是挺繁榮的。

袁　莉：那你怎麼可以跑這麼好的線路，他們為什麼跑的不是那麼好的線路呢？

龐先生：中國公司裡面也是這麼回事吧，你要給錢給隊長，也要一兩萬給他。

袁　莉：你們公司有給你上社保嗎？

龐先生：我們公司沒有。

袁　莉：你自己有沒有生過病呢？你生病了怎麼看病呢？

龐先生：我還很年輕嘛，沒怎麼生過大病，有時候感冒發燒，吃點藥也就好了。

袁　莉：你有沒有結婚生孩子呢？

龐先生：沒有，真的沒有，還挺希望的。你知道，工作花費時間太多了，想約一下人家女孩子都沒時間啊。

袁　莉：你父母不催你嗎？因為在農村來説，父母可能會更介意這個事情，是吧？

龐先生：我知道。他們挺傳統，但這種也沒辦法，大環境就是那麼一回事，女孩子真的少了，年輕的時候沒抓住機會。

袁　莉：你對自己的人生和職業有什麼規劃呢？就比如説你現在是儘量存錢嗎？比如説這個活，你覺得你能幹到多少歲？以後要再去幹什麼樣的活？還有自己養老，這些都有什麼考慮嗎？

龐先生：考慮過。現在的工作太累了，真的是要熬夜，我知道有的人會猝死之類的。以後有機會我還想開公交（公共汽車），公交司機還有社保。但現在政府沒錢了，公交公司很多都不招人了。

袁　莉：你一個月大概能存多少錢呢？

龐先生：一個月能存下一萬多吧。

袁　莉：你其實不怎麼花錢，是不是？

龐先生：沒時間花錢啊。

袁　莉：比如說你一個來回，從東莞開到了杭州，48 小時，你回來會不會休息一天呢？

龐先生：對，這就是休息一天。我們三天一個來回，一個月跑十趟啊。

袁　莉：剛開始做這個的時候，累不累？

龐先生：累，還不適應啊，但慢慢地也適應了。

袁　莉：你剛開始做的時候，不適應是一種什麼樣的狀況？

龐先生：累唄。第二個是跟人接觸少，沒什麼機會認識女孩子。

袁　莉：就是整天在車上，是不是？其實是很孤單的一個職

業，對吧？

龐先生：就是那麼一回事。農民工啊，就是這樣子。

袁　莉：你能不能介紹一下你的家庭情況？比如說你父母他們是做什麼的？你小的時候做沒做過「留守兒童」[45]？然後你父母現在做什麼，他們多大年紀？

龐先生：父母都七十多了，家裡我最小。我以前老爸也是出去外面打工，一年回個兩三次；我老媽在家帶著我，還有我爺爺，我奶奶也在家。但是現在父母老了，什麼也幹不了了，回家之後真的只有每個月 180 元收入。

袁　莉：你的兄弟姐妹，你們都會給父母錢嗎？

龐先生：會的會的，過年過節他們都會給的。

袁　莉：你會嗎？

龐先生：也會的，就是不多啊，也就是兩三千、一兩千。

45　留守兒童，指父母外出務工、自己則在跟隨其他長輩在農村生活的兒童。

袁　莉：在農村養老主要靠兒女的，是不是？

龐先生：是的，這是事實。我經常上網，一對比，人家城市戶口啊，一個月拿兩千幾，你自己拿180，這差距就出來了，就是嚴重不平等啊。我經常上網，有時候經常上外網[46]之類，我很喜歡看你寫的文章。

袁　莉：你還到《紐約時報》來看？

龐先生：我經常看。

袁　莉：你家裡面還有山嗎？你父母還種田嗎？

龐先生：還種一點點，不多，可能是一畝多。現在也機械化了，有收割機啊，沒以前那麼累了。就是自己吃，不是種來賣的。我平時也經常叫他們不用種了，但他們可能閒不住吧。

袁　莉：你多長時間回去看一下父母呢？

46　外網，指中國用防火牆屏蔽的國外網站。

龐先生：我還好。像我那些同事，一年回去兩三天，我回得還挺多，因為我挺想家的吧。就今年回了兩三次。但休息就沒有錢，我們沒有年假之類的。

袁　莉：那你父母他們生病了怎麼辦？他們的醫保你知道是怎麼回事呢？

龐先生：知道，他們每年要交 380 元。2021 年的時候，我老媽還住院了。我們去廣州住院，報銷的比例提高了；以前是很少很少，幾乎是不能報銷的。我老媽那時候住了一個月的院，花了三萬多塊錢，但能報銷好像一萬多吧。

袁　莉：疫情期間你的工作有受影響嗎？

龐先生：受到影響了。據我觀察，2020 年，第一年疫情剛開始的時候，我們快遞很多活，可能那時候大家還有存款，網上購物還是多。2021 年開始就不行了，2022 年更加慘了，還好我們公司是國內前二、前三的物流公司，要是我們都沒活幹的話，那國內的經濟真的完蛋了。

袁　莉：我聽說農村結婚的成本很高，就要彩禮呀，房子呀，要車呀，這對你不結婚的決定有影響嗎？還是你就是因為工

作，根本沒時間見人？

龐先生： 我希望我能結婚的，我覺得能做父親、戀愛，都是一個人的權利，我想要的、希望有的。但因為我做這種工作也沒辦法。有時候我也不想幹了，想找個輕鬆一點的，或者別的活幹一幹，能有機會認識女孩子。但現在大環境就是這麼一回事，很難改變，女孩子也的確少了。

袁　莉：你現在 34 歲，等你差不多到你父母的這個時候（年紀），你覺得可以怎麼給自己養老？

龐先生： 真的是想像不到。現在國內經濟那麼差，因為我整天也上外網，也對中國社會有些瞭解，也是比較悲觀的。最好的時代我們都沒撈到錢，現在環境差了，你還想撈錢，不太可能了。

現在對養老也沒什麼計劃，就想到時候環境好一點了，可能開個公交吧。

袁　莉：但去年不是有好幾個城市的公交公司都倒閉停運了嗎？

龐先生：但我感覺未來經濟還是會變好的，中國經濟體量這麼大，不會一下子垮掉的。

袁　莉：我想問一下，你存款大概現在有多少？可以說嗎？

龐先生：可以啊。我有幾萬塊錢而已。以前年輕的時候也不會攢錢，一有錢了就是買買買。也就是這一兩年才開始攢錢，看到經濟差了，的確要有點存款。我就想，假如我現在不上班，沒有收入，存款可以讓我熬過兩三年就行了。

袁　莉：你還有什麼想說的嗎？

龐先生：其實我覺得還是要心存希望。我上那麼多網，看到外面的世界，慢慢瞭解中國的五千年歷史，其實就是四五千年專制的歷史，但我還是希望經濟會變好。

袁　莉：如果經濟不好呢？

龐先生：人也要活著啊，難道去死嗎，對吧？中國人的生活哲學啊，你要想萬一有哪天它就變好了呢。你要心存希望，希望國家能變好。

第三章｜暗夜星火：歷史退潮時的啟明

誰是「編程隨想」？

節目播出時間： 2023 年 5 月 19 日

「編程隨想」是一個從 2009 年開始，更新到 2021 年 5 月 9 日的中文博客，內容包括各種網絡安全知識、翻牆方法、匿名教學、電子書資源以及政治評論。

2022 年，有位網友在解釋翻牆安全問題的時候，提到許多翻牆教程的權威來源「編程隨想」：「『編程隨想』努力將中國民眾從愚昧、麻木、順從中喚醒，教會人們如何汲取並甄辨真實信息，如何避免陷入信息繭房，如何進行獨立思考，他所做的一切都與中共的信息管制、強行洗腦的愚民政策相對，對改變中國有著深遠意義。」

「『編程隨想』是中國互聯網安全領域的傳奇人物，是中共的肉中刺眼中釘，國安有針對他的專案組，可追蹤多年卻一無所獲，換來的卻是『編程隨想』時不時公開的嘲笑和挑戰，事件的結尾也頗具神秘色彩，主人公毫無徵兆地突然消失了，這讓『編程隨想』究竟是誰成為了永遠的謎。」

直到今年三月，貝女士在推特上發佈求助訊息，表示她的丈夫就是「編程隨想」。人們這才得知，「編程隨想」的消失並不是刻意之謎，而是在 2021 年 5 月 10 日被當局帶走，2023 年 2 月被以「煽動顛覆國家政權罪」判處七年徒刑。

「編程隨想」原名阮曉寰。貝女士分享了阮曉寰在生活中是一個什麼樣的人，她為什麼一直不知道丈夫在寫這個博客，為什麼她在丈夫被捕一年多、一審判決之後，才發現了他在網絡上的身份，以及她對於「編程隨想」身份和博客內容的看法。

袁　莉：貝女士，你能說一下 2021 年 5 月 10 日發生了什麼嗎？

貝女士：那天中午的時候，門鈴響了，我以為是送水的人來了，我就叫我老公出去接水，他就從書房出去接水。然後我就聽到門口似乎有人說了「不許動」，然後聽到了一些輕微的打鬥聲。我趕到門口的時候，就看不到任何人了，這時候就走進來一個男的，他是便衣。

當時我覺得是有人上門打劫，或者發生什麼不好的事情了，我就質問他說，你們要上門打劫嗎？然後他盯著我的眼睛也看了一會兒，就出示了一個公安證，說我們是警察。之後就進來十幾個人，開始搜查全屋。

當時我的腦子是懵的狀態，我看了他的證件，我知道他不可能騙我，而且進來十幾個人，裡面有便衣也有穿著警服的。

他們進來之後，就把客廳裡面放的所有電子設備都控制起來了，把我也控制起來了。這樣我就沒有辦法去拿手機看任何東西。當時是午飯時間，我本來是做好了午飯，把菜放在桌子上，準備叫阮曉寰出來吃飯了，但現在飯也沒有吃，我也沒有胃口吃了，就只能等著。

袁　莉：你出來時他人已經不在了是嗎？

貝女士：是的。

然後他們就開始一個個房間搜查，搜查時間最長的就是他朝北的書房。我當時是被堵在外面的。

之後可能過了幾個小時吧，我老公又被幾個人押進來。當時我就想，雖然我和他之間堵著很多人，我知道和他講話是不可能的，但是我想他起碼應該看我一眼吧？發生這麼大的事啊，所以我就一直盯著他看，但他就一眼都沒有看過我。

然後好像他有一件事要處理一樣的，被警察帶到這個書房的門口，他就朝著書桌的方向指了一下，說了些什麼，我也聽不清，接著又被人帶走了。

這就是我在開庭前最後一次見到他。然後那些警察說，你要麼休息一下，我就退到了朝南的臥室。臥室裡有三四個人看著我，他們也會跟我聊天，詢問一些東西。他們其中有一個人說：我們是同齡人，你這個事情我是很理解的，但你知不知道你老公做了什麼事？他在外面寫博客，說第一步要怎麼做、第二步要怎麼做，要推翻我們的政權啊。

我當時有點懵的，他還說了一些我和我老公之間才知道的話，具體細節我已經記不清了，但我知道他們肯定是進行竊聽了。然後我就說，你想問什麼就直接問，不用搞得你什麼都知道的樣子。他就盯著我的眼睛，就像是看犯罪份子在說謊一樣盯著我。

我是很坦然的，我覺得我沒有犯任何法，我也相信我老公不會做犯法的事情。之後他們一直在問：你老公的這些錢是哪裡來的？為什麼你的帳戶也有那麼多錢？我們的錢是分開的，各自有存款。然後他還說：我們也知道你經常出國去出差。他們還知道我在淘寶上購物的習慣，什麼都知道。

我當時就在想，是不是真的是和我老公的技術有關。因為我老公是網絡安全工程師，精神上也是一名駭客。我只知道這些。當時 2021 年，是（中共）建黨一百週年，上海可能有一些言論管控的動作，我在想是不是他在這個風頭上有一些敏感的言論？反正我也不知道情況到底怎麼樣，我也沒有手機，沒法查很多東西，就只能先忍著。

袁　莉：你當時對阮曉寰做過什麼一無所知，對吧？那你後來是怎麼發現他可能就是「編程隨想」？這個中間隔了多久你才發現的呢？

貝女士：有很長時間了。因為在 5 月 10 日的時候我是不知道的，當時我想他很快會被放出來，過了這個風口就會被放出來了。但沒有想到 36 天以後他竟然被批捕了，之後我就一直想通過法律允許的渠道去為他抗爭，對於他「煽動顛覆國家政權罪」這個罪名的定性做一些抗爭，但我請的律師在偵查期都不能去看守所會見他。

他們後來還延期偵查了。他們說，阮曉寰在第一天已經交代了這些博文都是他寫的。我曾經質疑說，既然這個案子這麼簡單，為什麼還要拖延偵查期？但他們給我的答覆是，因為還沒找出他的海外聯繫，所以這個案子還要繼續偵查，等到八月多才到了楊浦區檢察院。楊浦區檢察院作為基層檢察院，本來就不應該去受理這種案子的，因為這是涉及國家安全的案子，應該直接到中級人民檢察院的。但是在楊浦區檢察院就耽擱了一個多月，然後再轉到上海市人民檢察院第二分院（簡稱二中檢）。在這期間，我和他的父母一直再到信訪辦去瞭解情況，但沒有人給我們任何信息，律師也不能會見到他。一直等轉到了二中檢，中間又過了大概半個月了，律師去閱卷之後，才去看守所第一次會見阮曉寰，那時已經是 9 月 29 日了。

袁　莉：你什麼時候知道他是「編程隨想」的，這個過程中

你都不知道嗎？

貝女士：都不知道。這個過程中根本就沒有任何信息給到我。當時他母親問他到底說了什麼，一直在想要從律師那邊獲得信息，但沒有任何信息告訴她。我們曾經想自己去瞭解一下，就到海外的網站看，想找出他到底是什麼身份，才能知道他到底說了什麼話，有多麼嚴重。但因為我之前是不會翻牆上網的，也只知道他在海外有一個博客，但這麼多的海外博客，我要怎麼去找？

之前偵查期的時候，辦案人員也有跟我說：你難道不知道他說了什麼嗎？你可以自己上他博客去看。我說，我怎麼看？然後他說：等到以後這個案子清楚的時候，肯定可以讓你去看的，他博客還在的，到時你就知道了，他有兩面性，有一面你是不知道的。我想我現在不知道，但是遲早判決書下來，我肯定能夠知道到底什麼情況了。

直到一審 2 月 10 號判了，我拿到了判決書，但判決書裡什麼信息都沒有。連最基本的涉及了「煽動顛覆」的言論證據都沒有，上面根本就沒有寫他博客名。我就覺得這有很大的問題。而且一般來說，博客裡面的言論，基本常識都知道是屬於言論自由範圍內的，對吧？那為什麼說他這些言論是屬

於「煽動顛覆國家政權」了呢？

拿到判決書之後，我就開始做兩件事情。一件是找人權律師，還有一件就是想要自己解答心裡這個疑問。但最首要的問題還是找律師，所以我動員了很多朋友幫忙。我拿到判決書才發現我可能陷入思維定式了——判決書裡面連原來的證據都沒有，那可能他就是無罪的，應該無罪釋放的。我在微信裡有說過，我會請北京莫少平律師事務所的律師。

我是 2 月 19 日想動身去北京簽律師委託協議的，然後就被上海的國保攔住了。他們在談話時說，你是不是覺得他是被冤枉的，因為沒有證據？我就很驚訝，他們為什麼知道我的想法？然後我一下子反應過來，他們肯定是從我的微信紀錄裡面知道了。然後他們也問：你是不是要去請莫少平律師？這些全都是他們不應該知道的，但他們全部知道了。我一推測就知道，一定是從監控微信中獲得的信息。

然後我就想聽他們對於我說的無罪釋放是怎麼看的，他們說：你知不知道這個是因為信息不對稱。他們就說了這樣一句話。但他們這麼說的話，我更覺得有必要去找出他到底是什麼身份，之後我就開始學習怎麼樣翻牆。

袁　莉：你是怎麼找到「編程隨想」的身份的？

貝女士：這是很巧的。當時我沒有想到這麼容易就能發掘出來，我只是在 Google 裡面輸入了「失聯」、「博主」還有年份「2021」，就跳出了《亞洲週刊》的一篇報導，上面就是這個時間，然後「編程隨想」的博客也停止了更新。

我老公他其實是很直的，他的博客不會有什麼很好玩兒的名字，「編程隨想」這種名字一看就肯定是他的風格，所以我直覺感覺那就是他。

然後我就進去看這個博主寫的博客。他的思路非常清楚，而且他有記錄的習慣，所以他每年都做一個博文回顧，很容易就可以看到一個目錄一樣的東西。我看了一下，發現這個博客的很多特徵和我老公是完全吻合的。所以從很多細節我就一下子知道，我老公用「編程隨想」為名一直在寫文章，寫了 12 年。

當時我還冒出來一個想法，就是他 2017 年年底的時候，曾經因為哮喘病急性發作，急救的時候輸入了激素類藥物，後來引發全身皮膚的紅皮病，很嚴重。他當時是臥床的。我就在想那段時間他怎麼更新博客？然後我看了，果然從 2017

年 11 月底開始，到 2018 年初的幾個月，他的博客每篇都是寫他最近很忙，所以更新得比較晚了。這樣我就毫無質疑地確認他的身份了。當時我在網吧，忍不住哭出聲來了。這是我確認他身份的整個過程。

袁　莉：你能不能説一下，你們是怎麼認識的？什麼時候結婚的？他在生活中是一個什麼樣的人？你記憶中關於你們倆最美好的事情是什麼？

貝女士：我和他是 1996 年認識的。那時候是華東理工大學入學的時候，我們整個班級的同學坐在廣場的草坪上面做自我介紹。當時我說的話也挺幽默的，我說我「產地上海」。之後他跟我說，因為我這句話，對我印象特別深刻，

袁　莉：你們倆是同班同學，是嗎？

貝女士：對，是同班同學，都是化學工程系化工工藝專業的。

他給我的印象就是一個比較開朗的、憨憨的、書呆子一樣的人吧。其實大一我對他也沒有什麼特別的印象，只是知道他在同學裡很有名，因為他的計算機能力很強，是全班計算機水平最好的。然後他這個人還很奇怪，經常會犧牲自己的時

間給同學去答疑。他每週花一兩天給全班同學答疑。

其他對他也沒什麼印象。但有一次就是 Ubisoft（育碧，電子遊戲開發商和發行商）在我們學校開一個講座，我沒事閒著無聊去聽了，他也在。他的座位旁邊有一個空位，所以我就坐過去了。這個時候我們就比較有接觸了。

之後我自修的時候會經常偶遇他，他也會跑到那個教室去的。後來我才知道他經常會在每個教學樓下面找我的自行車，根據這個來定位我在哪個教學樓，然後再一個一個教室地找我。

袁　莉：就是說製造偶遇了。

貝女士：我其實在大學裡面不愛讀書的，因為我不喜歡化工。他就是一個很喜歡計算機的人。在大學裡面，人家經常說他就是寢室、圖書館、教室「三點一線」，再加上一個食堂吧，因為吃飯總要吃的。

所以他就在這幾個點走來走去。因為他很多時間是在圖書館學習計算機相關的知識，有的時候他不去上專業課。他們寢室也合資買了一個電腦，但使用是輪流的——就是哪個人是

哪個時間段上機。那他就放棄專業課的時間，因為那時候寢室裡面就沒有人了，他就可以無限制地上機了。

後來我們談戀愛的時候，就經常一起自修。我累了，我們就出去到操場上面，一邊散步，一邊聊天。所以就是在那個時候，我就知道他的閱讀量非常大，讓我很吃驚。而且他對人名的記憶力非常強，過目不忘的。還有他知識面的豐富，好像什麼都知道。可能從那個時候開始，我對他印象就非常好。

他畢業前就在校產——一個軟件公司做事。之後 2000 年我畢業的時候，因為他專業課還有英語四級沒過，所以他就選擇不要畢業證了，他要和我一起去投身社會。我們是 2004 年結婚的。

袁　莉：你當時也沒有反對嗎？在中國，我還記得在九十年代的時候，有個大學畢業證還是很重要的。

貝女士：第一，我覺得他的能力非常強，我覺得以他的智慧，他決定的事我根本不需要去質疑。所以我從來沒有想過要去質疑他有沒有畢業證這個事情。但他父母確實是覺得這個事情很不好，特別是他爸爸。他爸爸是大學教授嘛，對於他自

己的兒子從小就是教育很好的，然後又是讀重點的中學，一路上到一個重點大學，最後放棄了大學畢業證，他爸爸是不太能接受這件事情的。

袁　莉：你記憶中你們倆最美好的事情是什麼呢？

貝女士：其實我們倆之間有很多開心的時間，但近期一個記憶美好的時間，可能就是我們 2014 年一起去菲律賓巴拉望旅行那段時間。網上能看到他照片，他穿著格子襯衫，背著一個紅背帶的包，很陽光，笑得很開心的樣子——那張照片就是我們在菲律賓旅行的時候拍的。

袁　莉：他生活中是一個陽光燦爛、開朗的人嗎？

貝女士：是的。在大學裡面，他最經典的就是他爽朗的笑聲，人家都說整個教室，或者說一層教學樓都能聽到阮曉寰在笑了。

袁　莉：你們倆的婚姻也是挺有意思的。你們的錢是分開的，而且他自己多數時間是把自己關在書房裡，而你是基本上不進他書房的，對不對？為什麼會是這樣呢？

貝女士：是的，我們倆婚姻確實是別人看來很很奇葩的。這個 AA 制，我覺得是每個人經濟能力獨立的一個體現，是很正常的。特別因為我們倆的消費觀不一樣。他是那種只會為了有用的東西去花錢，而且是非常明智地做購買決定的人。而我的消費觀念就可能比較隨心所欲吧。因為消費觀念的不同，我覺得他提出說很多東西不給我買，我很能理解，反正我自己也有錢，我就自己買，所以 AA 制比較好。

結婚之前他也有送過我一些禮物，但結婚之後，他就不送我禮物了。就是一般家人之間，逢年過節也總要有些禮物表示一下吧？我一開始是很不能接受的，也跟他抱怨過。我說你怎麼以前還知道送玫瑰花，對吧？雖然只送一枝。我問他為什麼只送一枝？他就說「一心一意」。這個也就算了，那他為什麼結婚後連「一心一意」的一枝玫瑰都不送呢？

他回答也很經典的，他說你已經那麼隨心所欲了，我再送你怎麼行？他說我要培養你的心態。當時我是覺得：算了吧。但是後來，特別是這段時間，人生經歷不一樣了，經歷過很多東西以後，我就能夠理解他當時為什麼這麼說了。就是如果你沒有很明確地知道自己想要什麼的時候，確實會迷失在一些虛妄的欲望裡，你就會隨心所欲地去購物。但當你有一個很明確的人生目標，你就知道了因為要滿足你一些虛妄的

欲望，就要不斷花錢，然後你就要不斷賺錢，這就會陷入一個循環，把時間都浪費掉了。你只有從這裡面解脫出來，才能發現人生真正有意義的東西，把你的時間集中在那裡。

袁　莉：他是從十多年前就開始不工作了，對不對？你們倆之間也沒有因此產生矛盾嗎？

貝女士：他應該是從 2011 年或者 2012 年左右不工作的，因為他也沒有告訴我具體時間，我自己猜他就這段時間開始不工作了。

我們倆其實在這方面是挺一致的。我也不是說一定要工作，因為工作只是賺錢的一個渠道：你可以打工，你可以自己去做老闆，或者有其他地方讓你獲得足夠你生活需要的資金，都可以。他當時的觀點就是，以自己這麼低的物質生活要求，已經有足夠的資金生活了。他甚至還跟我說，我們要那麼多的錢幹嘛？以後我們死的時候都捐出去。當時我是很驚訝的，但後來，特別是我讀了《世界盡頭的咖啡館》之類的書以後，我就非常能夠理解他的想法了。所以我對於他不工作這件事沒有任何問題。我到現在在外企工作了 17 年，換了七八間公司，中間也有沒工作的時間，那些時間很自由，對我來說就是一種調整，我覺得沒有任何問題。

袁　莉：你們倆真的是絕配。那你們倆之間談論政治嗎？如果你們不談政治的話，談什麼呢？

貝女士：政治作為一個時事的話題的話，他會偶爾會涉及到，就是純粹是某個時事發生了才會談。比如說他會特別強調中藥的問題，他非常反對中藥，還有以前「毒奶粉」（指2008中國的奶製品污染事件）的問題。

包括我們不要孩子的決定，其實是他不想要孩子。我問過他為什麼，當時我還沒有那麼超脫，說不要孩子。他就說到中國的社會問題，還有教育問題、醫療問題、食品安全問題等等，他覺得，有這麼多問題，為什麼還要生孩子呢？

說到我們的關係，我覺得我們只要在一個房間裡，就是一種對關係的維護。但他可能不是這麼想，他覺得兩個人在一起必須要有共同話題，需要成為靈魂伴侶。所以，他一直在找和我的共同興趣點。包括結婚以後，他鼓勵我去學圍棋，他說圍棋是可以鍛鍊全局化的思維方式，還有很多戰略性思考在裡面。我曾經有學過一段時間，但後來興趣不大就放棄了。

後來他又想出一個方法，因為我們家附近有體院，裡面有網

球場、乒乓球館、保齡球館。所以有段時間我們也經常去那邊玩這些東西，但最後又沒堅持下來。

後來他說要不這樣吧，你打《星際爭霸》（StarCraft，又譯《星海爭霸》）吧，但他後來說他自己是不想打遊戲的，只是為了想跟我一起找共同話題，才花了時間去玩遊戲。反正我們嘗試過很多東西，最後他也介紹我看科幻小說，還有給我列書單，都是想讓我和他有更多共同話題。

他非常注意這個。後來他有段時間生大病，一開始我是在照顧他的。他說如果我不在家裡，他會很害怕。我當時推辭了很多重要的出差，但有一次出差沒法推，必須要出去一週，我就叫他母親過來照顧他了。之後我覺得既然他母親在了，我就可以回到工作上面來。所以後面大概好幾個月我都不在，中間過來看他，給他帶藥。

但他覺得我們這樣下去會愈走愈遠。所以就從那段時間後，他對我的態度好像有些不一樣了，而且對我投入在工作中的時間非常厭惡，有的時候由於我的工作影響到我們一些日程安排，他就會大發脾氣，這也就是導致我在 2020 年 5 月疫情的時候離職的一個重要原因。

袁　莉：你就和他一起在家待著了，是吧？

貝女士：對，我就花很多時間去看他以前給我的書單裡面我沒看的書，還有可以一起散步，一起去騎車，做很多自己以前想做、他也想做，卻沒有時間做的事情。那時候我們的關係就愈來愈好了。

袁　莉：那你發現他就是「編程隨想」後，再看他的博客時是什麼感覺呢？你有沒有怪他一直瞞著你呢？

貝女士：我當時是很矛盾的。我知道他是「編程隨想」以後，我是很擔心、很害怕的，因為網上很多人稱他為「普羅米修斯」、「阿桑奇」（Julian Paul Assange）、「斯諾登」（Edward Joseph Snowden），我一邊看一邊感到很害怕。

看他博客的時候，我就有一個感覺，我要看他到底寫了什麼，到底有多嚴重。在辯護的時候，我要為他找出一些辯護立足點。因為從 2021 年他被抓以後，我自己花了很多時間去學《刑法》，學辯護技巧，我是有一些相關法律知識的。

看他的博客的時候，我會先看他每年寫的總結，然後會再去看幾篇高敏感度的博文，看看嚴重到什麼程度。然後對我自

己感興趣的一些博文也會看一下。我記得我印象最深的一篇
就是，〈為啥俺要寫這個博客——動機的自我分析〉，看了
那篇博客以後，就覺得一下子……哎，這就是我大學認識的
阮曉寰啊。

袁　莉：你覺得他為什麼寫這個博客？

貝女士：他其實就是一個很純粹的人，有點天真單純的人。
他認準的一件事情，就會很投入地去做。他也是一個很專一
的人，他其實一直就是很愛科學，包括他從小的偶像是愛因
斯坦，到他從事 IT 行業以後，我覺得他的偶像應該是理查·
斯托曼（Richard Stallman），GNU 計劃[47]的創始人。

他崇尚自由和開源精神，比方說他辭職以後就在做開源軟
件。我隱約感覺到他會去寫技術博客，因為他曾經跟我說
過，他周圍的人水平太差，找不到一個可以去深入聊技術的
人。我想就是他在這個博客上發文章，可能會期待有一些技
術牛人可以交流。

所以我知道他肯定會寫技術博客，但我是一開始沒有想到他

47　GNU 是一個自由軟體集體協作計劃，其目標是建立一套完全自由的作業系統。

會去涉及政治，真的是沒有想到。但看了他的博文之後，我就知道他為什麼會這樣了，因為他還是在堅持自由的精神，他可能是看不慣用技術去封殺自由的事。

他最喜歡的兩部電影，一部是《V字仇殺隊》（*V for Vendetta*，又譯《V怪客》），還有一部就是《黑客帝國》（*The Matrix*，又譯《駭客任務》）。他就像《黑客帝國》裡的Neo，是自己選擇了吞下紅色藥丸，去面對這個真實殘酷的世界，為了自己的目標，去做那種持續的、但又希望渺茫的奮鬥。所以我非常理解他會堅持寫這樣一個博客。

袁　莉：我特別喜歡他在一篇文章前面，引述英國的哲學家、數學家羅素（Bertrand Russell）的一句話說「我為什麼而活著」，他說：「是對愛情的渴望、對知識的追求、對人類苦難不可遏制的同情心，這三種純潔而無比強烈的激情支配著我的一生。」

貝女士：是啊，他就是這樣。他很理想化，很單純。他所有的價值觀、行為都是統一的。

而且，我記得有一次我們一起看一部很有意思的動畫片《尋夢環遊記》（*Coco*，又譯《可可夜總會》）。那裡面就是說，

亡靈世界裡的人如何能夠再回到人的世界？不被人們遺忘，那就要人的世界裡有人記得他／她，祭奠他／她的照片，他／她就可以再回來，就是沒有死亡。永久的死亡，就是這個世界裡沒有人再記得他／她了。當時阮曉寰就跟我說，哪怕我們有孩子，你的子女可能會記得你，但你子女的後代還能不能記得你，就不一定了。如果有一個事情留在這個世界上，讓很多的人記得你，你才是真正的一直活著。

袁　莉：他說得挺好的，我都不知道說什麼了。但是你看那些文章的時候，會不會有一種膽戰心驚的感覺呢？就比如說他最著名的一篇文章，題目叫〈為啥朝廷總抓不到俺──十年反黨活動的安全經驗彙總〉，他在文章裡面有這樣一些語句，比如說「本人已經抹黑黨國很多年了」，還有「早在 2011 年的中國茉莉花革命期間，俺就連發多篇具有煽顛性質的博文」，然後括號註「那三篇顯然能評上煽動顛覆國家政權的大罪」。我不知道你看了這些句子，是什麼樣的感覺呢？

貝女士：因為我知道中國的《憲法》裡面第三十五條是保障人權、保障言論自由的。我也看了他博文的主要框架，所有的文章的目錄，還有他寫博文的基調──他都是基於事實在做全面客觀的分析。從這些來看，我覺得他完全是夠不上

「煽動顛覆國家政權」這個罪的。但他在博文裡面寫了這些話，我當時是一頭汗的。我知道他這個人就是很恃才傲物，有的時候說話很直，但是在中國的言論環境裡面，說話這樣直的風險是很大的。

所以我當時是很心驚膽戰的。特別像我們這代人，我們父母是經歷過文化大革命的，平時我在家裡說一些批評社會現狀的話，我爸爸都會馬上制止我，說你不要在外面這樣說。

但因為我一直都是在外企工作，我們的文化是很自由的，是崇尚個人要表達自己的觀點的。我們鼓勵多樣性，人類社會不管哪個組織都是在不斷變革中才能夠進步的嘛。包括我自己以前也做過組織的領導，我最擔心的就是下屬不說話。我們採集觀點的一個方法就是 brainstorming（頭腦風暴），要有人說話，你才能瞭解下屬是怎麼想的。很多事情的推進、或者好的想法，就是來自於 brainstorming。所以我自己不覺得言論自由會有這麼大的風險，我一直是這個態度。

所以我就是一直想著，如何讓我老公這個案子給更多的人知道，讓更多人可以聲援他。

首先，他說「抹黑」。我們都知道網絡上面是常用詼諧、反

諷，或者是調侃的手法來創作的。「抹黑」在網絡用語裡面，就是「批評」的意思。批評和自我批評本來就是一個很好的，甚至是中國共產黨都提倡的一個東西，對不對？所以「抹黑」這個詞看上去是很敏感，但本質我沒覺得有什麼問題。

然後，「茉莉花革命」單單只是個名字，你要看它實際是什麼。茉莉花革命的口號也是要食物、要工作、要住房、要公正，對吧？然後還包括一些要求司法獨立、新聞自由和政治改革的訴求。我覺得這是一種「圍觀改變中國」的行動，我並沒有覺得這樣一個行動本身構成了「顛覆國家政權」。他在博文裡發佈的相關信息，也不能和這個罪名相關聯，並且那個時間點早就過了刑事追訴期了。我一開始真的有點擔心，但後來覺得自己多慮了。

袁　莉：下面這個問題是「編程隨想」的一位粉絲發給我的。這位粉絲去年就在推特上給我發私信，讓我關注「編程隨想」失蹤的事情。但是當時我們沒有任何線索，也不知道到哪裡去找這個人。他的第一個問題總結起來就是：阮曉寰為什麼會選擇這樣做呢？

貝女士：其實剛才也有說到，他是一個高度統一的人，他覺

得正確的事情，他就會投入時間去做。而且他覺得人生價值是要留給這個社會一些有用的東西，這是他永不死亡的一個方式。他也提過，以後 AI 可能會全面替代人類，那怎麼樣才可以讓自己永存？他有說過類似把自己的精神傳到網絡上去的方法。

所以我想他寫這個博客，就是把自己的思想去分享給別人，和他以前在大學裡喜歡給人家答疑一樣，他從小就是這樣的。

他就是這樣一個人，所以他會去寫這個博客，分享很多技術上面的東西，人啟發大眾獨立思考和批判性思維。當然，他看到社會上面一些不好的現象，也會深入地去思考根源是什麼。他是想去做改善的，包括他判決書裡面也寫到，他承認自己寫了這些博文，但出發點是為了要使國家變得更好。就是這樣一個很單純的想法，他就堅持下來，長期地、無償地、沒有任何名利追求地投入去做了這件事。

袁　莉：這位粉絲第二個問題，說阮曉寰曾經是 2008 年奧運會的信息安全系統總工程師。按理他算是黨國系統內的人，但他沒有趨炎附勢，卻選擇了一條更為艱難的道路，想問他的心路歷程是怎麼樣的？

貝女士：其實這是一個誤解。他 2008 年接這個項目，是因為他當時是啟明星辰 [48] 的研發帶頭人，所以他是做了這個項目的總架構師、總工程師。其實他本人根本不是這個體制內的，你要知道，因為他是沒有大學文憑的，所以連社保都是沒有的。他也從來不在乎工資是多高。我在外企工作很多年，有社保，退休也是可以享受很多保障，但他沒有的。我們結婚以後，我父母一直催，讓他在上海落戶，[49] 因為上海的待遇相對好一點，但他也不在乎。他從來不在乎這些，他都不要上海戶口，就是這樣一個人。

袁　莉：他真是一個超凡脫俗的人。

貝女士：就是啊。我有的時候想想都要掉眼淚，我就會忍不住。他這樣一個人，在默默無聞做這樣的事情，然後現在經受的是這樣的苦難。2 月 10 號開庭的時候，他出來的時候，真的是瘦得……

我從來沒看到過他可以瘦成這樣，而且頭髮基本全白了，他才 46 歲不到啊，就這一年九個月的時間，你想想他的壓力

48　啟明星辰，中國知名網絡安全公司。

49　將戶口遷移到上海，可以享受到諸多上海市民才能享受到的福利。

會有多大？在之前，因為我不知道他到底做了什麼，我心裡其實是有點責怪他隱瞞我做這些高風險的事情的。但是當 2 月 10 日開庭的時候，我看見他這個樣子，我沒有任何其他想法了。無論他做了什麼事情，受了這樣的罪，就已經全都償還了。所以 2 月 10 日以後，我就是（只有）一個想法──一定要把他儘快救出來。

袁　莉：阮曉寰獨自堅持了十幾年，向外界保密了十幾年，也對家人保密了十幾年，這種孤獨是常人無法想像的。他的生活中，難道沒有一點蛛絲馬跡嗎？他怎麼能夠忍受這樣的孤獨？

貝女士：其實我覺得他並不孤獨。一個看這麼多的書，不斷地通過寫博客來提高自己的人，他有追求，他有書相伴，有這麼多的粉絲相伴，我相信他絕對不孤獨。在寫博客之前，他可能是寂寞的。因為他曾經有說過有一種英雄寥寥的感覺。但在寫博客之後，我不相信他會是孤獨的，雖然他是一個人關在房間裡，他一直都是在嗒嗒嗒嗒地敲鍵盤。我不相信他會有空去寂寞、去孤獨，所以他不孤獨。

但在生活中我確實是大意了，或者說我太相信他了。其實之前他有很多比較反常的言語，我就直接忽略了。比方說，幾

年前吧，當時劉曉波[50]被監禁，他曾經跟我提過這個案子，說到劉曉波的妻子劉霞為他奔走。當時他說：「要是某一天，一幫國安衝到我們家裡來，把我抓走了，你會不會害怕？你會不會也去為我奔走，為我請律師？」就是睜大他的眼睛看著我，我也睜大眼睛看著他。我心想，你怎麼會問我這些問題？我就說你別開玩笑啊，這種玩笑不能開的。然後他就不說了。還有就是近幾年的反常，如果我把他從書房叫出來，他就會非常煩躁；2020 年以後，我們出去散步的時候，他有時會突然掉頭看。還有種種跡象吧⋯⋯

袁　莉：在這個外界的環境愈來愈壓迫的情況下，其實他自己心裡面，有點覺得他可能被發現了？

貝女士：對，現在回想起來，他其實早就知道他可能會被發現，而且會有一些不公正的待遇。他很清楚的。因為他寫博客是瞞著我的，他會用一種開玩笑的方式來試探我。比方說，被捕前幾個月，他經常跟我開玩笑說：馬上會有人用直升飛機來接他走了。然後我也和他開玩笑，說那帶不帶我走嘛？然後他就不說話。所以他其實是知道（這種危險）的。

50　劉曉波，中國作家、社會活動家、文學評論家、人權活動家，2010 年諾貝爾和平獎得主。

袁　莉：他在房間裡面敲敲打打的，你有沒有問過他：「你都在寫什麼？」

貝女士：我一直以為他是在編程。因為我有一次我叫他出來吃飯的時候，他發脾氣，說：我在編程，思路不能被打斷的啊，我們這麼複雜的程序，你要知道很難再恢復的啊！我也是理解編程是會是這個樣子的，所以我也不太敢打擾他。

但在他被抓前幾個月，我也發現他特別反常，包括我們家附近也有一些反常的跡象。比方說 2021 年初的時候，樓上一直有滴水聲，我就叫他跟我一起去樓上敲門，讓樓上配合物業檢查，但是樓上就是不開門。

袁　莉：「編程隨想」的粉絲還有一個問題就是——其實我覺得可能你也是沒有辦法來回答的——就是說他的信息安全知識非常豐富，跟網警貓鼠遊戲了十幾年，但是最終還是被追蹤逮捕了。是他得意忘形暴露了痕跡，還是有其他隱情？警察是如何抓捕他的？想必很多翻牆的人士都很關心這一點。

貝女士：這些偏技術類的問題，我肯定是一竅不通的。但因為他自己是搞網絡安全的嘛，每個人都要有一些最基本的安

全意識，所以這麼多年來，我一直有一些耳濡目染的薰陶。比方說他硬要我把所有的電腦攝像頭都貼掉，然後把手機的前置攝像頭和後置攝像頭都貼掉。

還有他如果看到我手機的攝像頭暴露著，就要說我。然後他也不用支付寶，不用微信，生活狀態就像是原始人。他買所有東西都是我用支付寶在處理，他自己都是用現金或者刷卡。

至於他到底是怎麼被追蹤出來的，我覺得等他釋放以後可以跟他討論。而且我現在開通推特了，我發現我的粉絲裡面，很多是對網絡安全很有研究的人，我真的很高興可以通過這個平台認識他們。

曾經我有一段時間一直在想，我要為我老公出獄做準備嘛，我要給他記一些筆記，記錄這幾年發生了哪些大事，讓他出來的時候可以看到這些事情，然後可以馬上跟上這個時代，跟上新的技術。可惜我的技術太差了，那這些推友就是可以和他交流的人群。

袁　莉：你接下來的打算是什麼？你會對未來感到害怕嗎？

貝女士：我覺得我自己是一直堅持著這樣做，唯一的原因就是我 2 月 10 號看到他那個狀態，我就只有這一個念頭，就是要把他儘快救出來，其他我什麼都沒法想。至於以後的打算，我希望他出來以後我們一起再商量吧。但是我堅信他出來以後，我們倆的關係肯定會比以前融洽得多，因為他對我就沒有什麼隱瞞的了。經歷了這些事情以後，我也沒有可能再回到以前不關心政治的狀態了。

白紙運動參與者：我們為什麼走上街頭？

節目播出時間：2023 年 11 月 29 日、12 月 9 日

2022 年 11 月 24 日烏魯木齊一棟住宅樓著火，因為封控，一些居民無法逃生，最終導致十人死亡，九人受傷。官方對此事故的冷酷、漠然與傲慢引發了民間的巨大不滿。於是悲哀、氣憤和絕望的情緒先是在網上蔓延，之後各地陸續爆發線下抗議活動。

先是烏魯木齊市民，繼而是北京市民，然後是全國各地的大學生，最後在上海烏魯木齊中路，大家在祭奠火災死難者的同時，要求結束封控，不要轉運，不要核酸，有些人甚至大聲地喊出來僅僅在幾天前還不可想像的口號，他們要自由，要民主，要新聞自由，要共產黨下台，要習近平下台。

「不明白播客」採訪了幾位參與白紙運動的年輕人，為便於閱讀，本篇文章將原本的訪談內容整理成了受訪者自述。

Serena：我帶了一張不太白的白紙去到現場……

我叫 Serena，是一名留學生，目前正在 gap year（空檔年）當中。很碰巧，剛好上海封城和這次白紙運動的時候，我都身處上海這個漩渦中心。

我是在微博上知道烏魯木齊中路的悼念活動的，當時因為自己內心情緒還是非常澎湃的，非常想找地方抒發一下，所以就來到了烏魯木齊中路。

到的時候就已經收到消息說，車已經過不去了，我騎車趕到大概仍距離祭奠點一公里左右的位置時，就已經有警察在巡邏了，所以現場的氛圍還是比較緊張的。

我當時心情還好，可能因為比較迫切想要去找到同溫層吧。所以當看到警察之後，反而覺得自己找對地方了——因為烏魯木齊中路其實很長的。

我之前沒有參加過這樣的抗議活動。但我在留學的時候，跟香港的朋友們有交流過香港的抗議活動。雖然我是非常沒有參與示威經驗的，但我發現在場的大部分人甚至比我更沒有經驗，大家很容易就會暴露自己，自我保護意識可以說非常

非常弱。

現場很少有人會想到去遮蓋自己的面部特徵，所有人都把口罩摘掉了，甚至有人看到我戴著口罩，還會質問我為什麼還戴口罩，就是暗示我說，你不要再做奴才了。我當時也不知道怎麼去接這個話。出於自我保護，我是希望呼籲大家都戴上口罩的。但這在當時，又會顯得我像是在支持防疫政策，所以情況也有點複雜。

還有就是，到了現場之後我在想要不要打開手機的飛行模式，這樣可以遮蓋自己的電子信息，避免被定位。但我看到現場可能只有一位女生有意識地把手機關機了，剩下其他人還是很開心地在微信上聊天。

驅使我去現場的情緒，首先是憤怒，憤怒應該是大過於悲傷的。我覺得所有事情其實都是環環相扣的，但同時也是一個逐漸升溫的過程。

最開始的時候，當政府的目標只針對於少數群體的時候，大家的反應是比較平淡的；但是隨著事態一步一步升級，政府的管控愈來愈嚴格的時候，我能夠感覺到大家的情緒上和政治傾向上的變化，最終到了這樣一個活動爆發在我身邊的時

刻，我就有很強的衝動想去參與。就像積攢了很久的憤怒情緒，想要找到一個發洩的出口。

真正到了現場之後，氣氛其實是很靜謐的，也會有一點溫馨。大家會把自己帶的香薰蠟燭拿出來擺在那裡，然後有鮮花，還有人在低聲啜泣，其實感覺不到太多反抗情緒，只是大家在一起悼念死者。

我帶了一張不太白的白紙去到現場，但現場也有人在發白紙，他們問：「有人要白紙嗎？」這其實是我在祭奠點唯一聽到的說話聲。

我認為用白紙抗議有著雙重諷刺，它既是在諷刺這個審查機制，同時也在影射被遮蓋的事實真相。是，雖然我們所有關於事實真相的披露都被你們禁止掉了，那我把一張白紙擺出來，大家也知道我們在說的是什麼事情。

我到達烏魯木齊中路時是凌晨十二點半，我目測當時現場的市民大概在三百人上下，我在那邊待了兩個半到三個小時，感覺人數一直都在三百上下浮動。當然人也是來來去去，我覺得可能有六七百人參加。

一路上我都有看到有零星的警察。到了現場的話，大約有五十個警察，他們會站成一排，還是蠻有威儷力的。

我在現場的時候，可能有差不多 45 分鐘的時間就是在那裡舉著白紙，然後中間就主要是圍在祭奠點旁邊。正好我身後有一個男生，一直很小聲地在哼 *Do You Hear the People Sing?* 然後我跟著唱了出來，在那邊唱了三遍，有一些人幫我做和聲。

在祭奠點的時候，大家基本是不交談的。但現場有兩個祭奠點，一個是最開始消息發酵的時候，大家慕名而來的祭奠點；另一個就是警察當時在那裡拉了一條警戒線，然後大家都注意到有白色的東西擺在那兒，這是第二個祭奠點。基本上大家看到的比較激進的一些視頻、喊口號的場面，都是在第二個祭奠點。

現場喊口號的時候，大家最開始喊的就是「不要核酸」、「不要健康碼」、「不要場所碼」。然後就進化到了「不要共產黨」。當然，剛開始「不要共產黨」的呼聲是非常微弱的。當時也有很多人在笑，有一個人笑著說：「哎，這可不能不要啊！」然後眼睛就往警察那邊瞄。大家喊口號的時候一開始就是比較興致勃勃，然後就很戲謔，甚至有點歡快的感

覺。之後，口號也逐漸變得有創造性，我記憶比較深的是有人開始喊「五四精神」的時候，就有另一個人喊，要「六四精神」，不要「五四精神」，然後口號開始就變成要「光復六四」。還有些口號涉及到比較具體的人，比如就有人喊「蔡奇下台」。還有兩個呼聲比較高的口號——「解放思想，實事求是」和「不做奴才做公民，不要文革要改革」，後者也回應了四通橋抗議。我感覺這次抗議也是受到之前小規模抗議的啟發。

其實現場喊口號的人很少，我感覺可能只佔到參與人數的10％到20％。我有看到網上傳播的視頻，看起來像是大家都比較群情激昂，但其實我在現場的感覺是，我身邊七八個人裡面可能只會有一兩個人在喊，密度是非常低的。

哪怕是大家已經聚在一起，也都是屬於比較不明哲保身的同溫層，但是真正去喊口號的人也沒有多少，這也讓我對整個運動感到比較悲觀和迷茫。

我想再講一個小細節，就是當時大家說要面對面建群（在微信建立群組），然後在建群的時候就已經有人在群裡提示說，我們主要就是來悼念的，不要有過激的行為。剛開始有人提出「不要共產黨」這個口號的時候，大家的反應都是先

笑一下，然後到後面才會有更多人一起喊：「共產黨下台，習近平下台」。

這讓我感覺，大家一開始都是對這些口號很陌生的，因為可能沒有人去質疑這個政權的合法性和正當性。大家剛開始的想法就是說，這裡有一條紅線，你不敢觸碰。但是到後來，可能因為彼此愈來愈熟悉，也就會愈來愈願意去投入其中，在比較短的時間內就把這條紅線給跨過去了。

我在現場的時候警察還沒有開始抓人，大概在我離開半小時後他們開始抓人的。我離開的時候完全沒有感覺到危險，當時警察都是站得比較遠的，也比較像旁觀者。在我離開的時候，我覺得大家情緒已經不那麼激動了，也把能喊的口號都喊了一輪了。

沒有想到的是，當我走之後，警察就把包圍圈縮小。回過頭來看，這是一種疲勞戰術，把大家拖得很累，把戰線拖得很長，最後把參與者收進包圍網。

Miranda：喊出那幾句口號之後，就再也回不去了

我叫 Miranda，今年 32 歲，已經在上海生活了八年，從事媒體相關的工作。

昨晚其實很碰巧，我本來是跟我男朋友準備出門找個地方，喝兩杯酒，看一下世界盃，就去了上海市中心那邊。然後看球中間，男朋友刷微博，看到了烏魯木齊中路悼念活動的帖子，我們就說去看一下。當時我們從巨鹿路一路騎共享單車到了烏魯木齊中路那邊，到的時候是晚上十一點左右，當時警察已經拉警戒線了。

那時候人還不多，有人在地上擺了蠟燭和鮮花，周圍圍了圈人，大概有二三十個人，外圈也有一部分人，但也沒有很多吧，可能也是二三十個，加起來一共就五六十個，不到一百人。當時警察是把烏魯木齊中路前後兩個路口都給封住了，一頭有十幾二十個警察，兩頭可能加起來有三四十個。

我們一開始完全沒有想到之後會出現抗議，我們過去的時候，就是很單純地想去默哀一下，但到後面可能大家的情緒很難控制了，就變成了抗議示威。

我們試圖想要進去祭奠點的時候，警察和民眾已經有一些對峙的感覺了。大家在警戒線外面，就對著警察喊話，喊「憑什麼不讓我們進去」。

我昨晚在現場待到了三點多。兩點多的時候，現場有人喊起了要言論自由和新聞自由的口號，喊著喊著我就淚流滿面了。我在上海做媒體將近八年，想到這些年在國內做所謂的新聞和媒體的經歷……我在私下已經跟無數的同行好友吐槽過了，卻從未像當時那般，在公開場合和這麼多人一起大喊出來。

我感覺那個時間，是我做媒體工作以來感覺最自由的一刻。當然這個自由肯定是有代價的——因為現場有監控攝像頭，警察其實也有人帶相機在拍照。當時我也沒有戴口罩，所以我不知道之後會不會人臉識別識別到我的信息，警察上門來把我帶走，但當時感覺就好像豁出去了，畢竟「開弓沒有回頭箭」了。說完那幾句話、喊出那幾句口號之後，就再也回不去了。

這是我第一次在街頭喊口號，但喊的時候心裡並沒有猶豫。雖然嘴上是第一次喊，但心裡已經喊了無數遍了。一開始其實口號喊的就是要求解封，跟封控本身比較相關，但後面就

漸漸喊出了一些有政治訴求的口號。

當喊到「共產黨下台」之類的口號時，人們就開始面面相覷了。有人說，真的要喊這個口號嗎？但後來架不住當時那些喊口號的人，在腎上腺素的影響之下，情緒可能沒有像在平時日常生活當中那麼受控吧，所以這些話其實很自然地就喊出來。雖然是第一次在公共場合去喊，但可能在每個人心裡面都罵了一千遍、一萬遍了。

雖然開始大家有猶豫，但「共產黨下台」、「習近平下台」的口號，和「不要獨裁要民主，不要核酸要自由」的口號，人家都喊得很齊。

人們為什麼會上街？我覺得是因為所有的事情已經到了一個臨界點，如果你不再去做一些什麼的話，人是真的要爆炸的。

這次最直接的導火索就是烏魯木齊火災。我們看到這件事的後果，也看到官方的回應，再加上貴州隔離轉運大巴側翻、上海封城等一系列事件。官方統計了每天的感染人數，但因為「清零」政策而導致的非正常死亡的人數，他們有統計過嗎？我每一次看到這樣的新聞，看到有人在朋友圈去轉，但

很快就會被消失掉，到了這個時候，覺得真的沒法再忍了。
同時，我想人們也多少受到了那些在自己小區中站出來對抗
防疫政策的人的鼓舞。

布魯斯：記錄是有意義的

我母校是南京傳媒學院，就是最先有學生舉起白紙抗議的地方。我沒有想到這樣的事會發生在母校。大學時，我是一個不太關心公共事務的人，同學之間也不太交流這些，就一直覺得大家可能是那種比較「愛國」[51] 的人。在我的印象裡，這種學生運動往往會是從名校發起，南京傳媒學院排名也不是特別好，這次事件在母校出現，大大出乎了我的意料。

我從小其實是一個比較反叛的人，但我並不知道自己想反叛的是什麼。但最近兩年，我感受到防疫政策的不合理，也慢慢接觸到 2019 年香港抗議，就開始逐漸去理解為什麼人要通過抗爭去爭取自由。

我覺得自由是人的一種天性，你不可能把一個人關在家裡封三個月。我第一次去參加抗議活動，就是五月份上海封城的時候要求小區解封，這是我人生當中第一次去抗議，然後烏魯木齊中路這次是我人生中第二次去抗議。

當時在晚上十點多的時候，我在微博上看到說有這樣的活

51　這裡的「愛國」指的是支持官方宣傳的政策和有較強民族主義情緒。

動，我就去了。因為在上海，經常會有一些這樣小規模聚集的活動，我並不認為它會有什麼危險，也不會產生暴力衝突。

我到現場的時候，其實整個場面是非常靜默的。當時已經有警察把整條路都給封住了——就是那種車不讓過，但人可以走進去。在祭奠點圍了一圈人，外面也圍了一圈警察，在不斷地勸現場的人離開。

雖然說當時的場面非常的安靜，但警察跟參與者之間就已經產生了一些小的摩擦和衝突，但當時整體氛圍還好。

在我過去之後半個小時左右吧，我們就開始分發白紙，這時來的人也愈來愈多，警察就拉起了警戒線，不讓外面的人進來了。但外面的人愈聚愈多，然後慢慢就開始起衝突。外面也有人在喊口號，我們裡面的人也就圍過去了。

因為現場的警察不是很多，無法維持住狀況，所以就把人群放進來了。這時候人群就開始變得混亂，不受控制了。後來在抗議人群中也產生了一些衝突，有些人說我們要沉默抗議，不能擾民，不要做出一些讓警察能抓住把柄的事；但另一些人開始大聲喊口號，開始喊「習近平下台」、「共產黨

下台」之類的口號，抗議者之間也逐漸產生了一些割裂。然後主張沉默的人，也都漸漸離開了。

我覺得這原本是一場哀悼儀式，如果你沉默抗議，警察沒有什麼理由去把你趕走。但是你站在那兒大聲地喊口號，把周圍的居民都吵醒了，我覺得這是不對的。但現場其實是不受控制的，包括有很多人就是像在惡意帶節奏的感覺——有些人辱罵警察，或者是有人號召大家沉默抗議的時候，就有人出來不停地喊口號去打斷他。包括後來人群圍住警察、警察停止抓人的時候，有個人還圍到警察身邊去挑釁警察。

雖然我覺得這些行為會激化矛盾，但我想就算我們溫和抗爭，最後結局可能也是一樣的。我是站在那些有蠟燭的祭奠點，我們這一片是非常沉默的，但也是被抓進去的人最多的一塊。

最開始，個別警察跟抗議者起了一些小衝突，到了後面他們就開始強行抓人，五六個警察圍著一個人，就把他／她往警車上拖拽。最後四點多的時候，我記得當時是有一個人和一個戴白口罩的領導起了口角，然後警察就突然開始無差別抓人，把站在路中間的很多人直接往麵包車上抓，期間警察也有拖拽毆打的行為。把人塞滿一車後，警察就把車門一拉，

然後把邊上的人一趕，車就馬上開走。

當時在我們這個哀悼點，大概有二十幾到三十個人左右，其他人都被分散到其他的地方去了。警察也把我們往外趕，在趕的同時，還時不時地抓一個人走，我們沒辦法，就開始往外逃。當時我感覺大家都是非常恐慌的狀態，因為後面警車數量還有很多，還有一輛大巴車，我們不知道自己會不會就變成那個「代價」。

我以前在網上看到過很多警察圍捕抗爭者的視頻，但當我經歷了這一切——在離我一兩米範圍內的人被警察拽走，當時我想擠進人牆去救他／她，然後我去撞那些警察，但是我發現自己根本撞不過他們；我想從下面鑽進去，然後也被他們擠出來。但事後回想我非常後怕，當時如果我鑽進去了，那我也是被塞上警車的那個人。

上個月我有個朋友的朋友在上海，她和另一個女孩舉了一個白色的橫幅在馬路上走，[52] 這個事情還挺有名的。然後她被抓進去了，結果手機被沒收一年，護照也被沒收了。我感覺這種事情，對我一個明年就要出國的人，是無法想像的。

52　指「二十大」閉幕當日上海兩女孩拉橫幅遊行的事件。

在往外逃的時候，其實我還在拍照，我想把這些記錄下來，我要發到網上去。我覺得記錄下來是有意義的，不然那些被抓的人，誰去救他們呢？我是一個很喜歡記錄的人，包括最近這一年我在微博上看到一些可能會被封的內容，我也會把它們截圖記錄下來。我覺得這種記錄是有意義的，不管是我以後給自己看或者給誰看，它們都是存在那兒的檔案，證明一些事情確確實實發生過。

一位被捕的抗議者：因為反抗，總要有個開始

我是來自上海的一位自由職業者，是 11 月 27 日凌晨差不多兩三點到現場的，然後早上五點左右被帶走的。

我們到的時候，已經過了抗議者最多的時候，當時警察已經把人群分成了好幾個部分，並且在不斷往前推，這個時候不太配合的人就直接被帶走了。

當時我旁邊有個新疆的女孩被警察抓走了，我就大喊「放開她、放開她」，然後我瞬間就被三四個警察抬在空中，怎麼掙扎都沒有用，他們就把我押到一個大巴上面。

當時大巴上有四個人，每個人身邊都有一個警察。在被拉到大巴車的路上時，有個女生被警察拖拽得整個上半身都露出來了，她控訴警察的方式很糟糕，但警察非常不友善地回應說，我們對這些沒興趣，你這是在抹黑我們；也有些人在被帶走的過程中掙扎，就被警察打到很多瘀傷。

我被帶走時腦子挺懵的，因為這也是我第一次在人群中被帶走。突然被三四個人控制人身自由的感覺，現在回想還是很恐懼的，尤其是像我們在中國長大的人，會有一種對於公權

力本能的恐懼，當時就會有點呼吸不過來的感覺。

大巴裝滿人之後就立馬開到了徐匯區派出所，我們在那等了很久，好像是他們那邊已經關不下更多人了，就要把人疏散到其他派出所。早上八點左右，我被帶到了另一間派出所，他們把我身上所有的東西都收走了，連鞋帶也拿走了。

然後警察詢問了個人信息：身份證號、戶籍地、名字、年齡等，然後還要了我們手機的密碼。我當時沒什麼被查手機的經驗，就把一些手機應用（程式）都移動到一個不怎麼看的文件夾裡面，心想也許這樣他們都不會查到了，但這個防範意識明顯不足。如果是現在的話，我肯定會把這些敏感應用都卸載掉，或者準備一個備用手機，就是專門給他們查的。

之後我們每個人都被帶進不同的房間裡，走一些程序：包括對我們進行檢查，就會讓你蹲下來，把所有衣服都脫掉，還會檢查你屁股有沒有藏東西。然後他們還會記錄我們的虹膜信息，還有採血、量身高，還拍了那種監獄照。我們每個人還要戴一個手環，很重，估計是類似於記錄我們的位置，防止我們逃走。

然後我們就被單獨關到房間裡做筆錄。警察的問題包括，你

知不知道這個活動的組織者是誰？你們是通過什麼渠道聽說這個活動的？為什麼要來參加、有沒有跟境外勢力有什麼聯繫，等等。

我當時沒有跟他們講我安裝了境外的軟件，我就說我是在境內的軟件上看到的，然後就是來湊個熱鬧。筆錄完成後，他們會讓我們在每一頁按手印確認紀錄是準確的。但做完筆錄後幾個小時，一個警察和我說，我知道你在筆錄裡說的東西都是在撒謊，因為我在你的手機看到推特了。然後他又把我關進去審問了一遍，我當時感覺挺絕望的。

我們被關押的地方一直開著燈，裡面也沒有鐘錶，所以我們完全不知道時間。我們問警察時間，他們也不說。我一開始以為最多關七八個小時就會放出去的，沒有想到他們真的會關我們 24 個小時。他們會跟我們說：你要寫一個認錯的字條，保證以後不會再做這樣的事情，就放你出去。

我當時就是整個人都處於一種當機的狀態。我也不知道要寫什麼，而且我也擔心寫了之後會被他們當作指控我的罪證，所以我沒有寫，但最後寫了的人也還是被關了 24 個小時。

一開始我是被單獨監禁，後來可能是人太多關不下了，房間

裡又被關進了三個人，變成了四個人。被關的都是參與這次抗議的人。一開始只有我一個人的時候，我還能在裡面的木凳子上躺一會兒，後來大家進來排排坐，把位置都佔滿了。

我們在裡面也不能說話，警察會一直盯著我們；後來他去休息了，幾個輔警在那裡的時候，我們就壓低聲音、盯著別的地方，在那邊面無表情地說話，基本就是聊自己是因為什麼被抓進來。這些輔警也會大聲聊天，他們的聲音也蓋過了我們的聲音。

被抓的人都蠻年輕的。我是想幫旁邊被抓的女性發聲，然後被抓走了。然後旁邊來了一個姐姐，是因為為我發聲而被抓的；還有一個人哥，是騎自行車去上班，也因為和警察迎面相向，就被抓進來了；還有個大哥是來找朋友吃飯，朋友不知道為什麼被抓了，他也被抓了。真的非常莫名其妙，我感覺警察後來就像是完成任務一樣，天亮了以後開始隨便抓人。

因為他們完全沒有告訴我們什麼時候能走，又沒有時間的概念，再加上無事可做，也不可以說話，就感覺非常煎熬。我當時覺得，最壞可能就是被拘留吧。當然，我的情況更可能是被送到精神病院去，出不來了，也沒辦法跟外界溝通那

種。想到這些，我就真的很崩潰。

當時我們是被口頭傳喚，最多關 24 個小時，後面如果還要關押的話，就要走拘留程序了。我覺得可能是當時被捕的人太多，他們也不太想一個一個走拘留程序。如果人少的話，我想我肯定就會被拘留了。所以我也和朋友說，正是因為我們人多，才爭取到被放出來。

我後來被放出來的時候，他們也沒有讓我回家。我父母其實都來接我了，他們也不放人，最後是叫我的居所所在地的警察把我帶回去。這個警察把我帶回去的時候，我已經非常非常累了，他再問我問題的時候，我就完全不說話了。但當我不說話的時候，他們又把我關了起來，我當時就想完了，不會又要關我一天吧？不過最後他們估計看我的情緒和狀態都很差，就讓我回去了。我回到家的時候，是 11 月 28 日早上七八點。

回到家後，我睡了一整天，實在是動都動不了了。精神上我也受了不少折磨，我被關押期間就有驚恐發作，回來以後就真的很累。

我父母的態度是，希望我不要摻和到這種事當中，當然他們

是為了我人身安全著想。但我也一直跟他們說國內的狀況，我爸其實有點被我說動了，他也跟他的同事有在爭執這些事情。我媽就是很擔心警察會再找我的麻煩，我也理解。

這幾天，我也還是很害怕的，而且我被抓的時候不是發了一條微博說被抓了嗎？然後我放出來以後睡了一天，第二天就有警察上門，叫我把那條微博給刪掉。所以在短時間內又跟他們打了一次交道，我真的有點精神過敏了，真的不太想再見到警察了。

為什麼仍然願意來錄播客？我覺得害怕歸害怕，但既然苦已經受了，我不如去把它變成一件有意義的事情，不去發聲、不去分享的話，就是苦也白受了。當然，這種想法也有點兒中國人做什麼事情都要有意義的感覺。

我為什麼要去參與抗議？我覺得就真的就是那句──It's our duty（這是我的責任），[53] 這是一個蠻理所當然的事情。在烏魯木齊大火中被燒死的人，他們沒有發聲的機會了，我們有這個機會的話，肯定是要為他們發聲，因為我們都是命運

53　1989 年中國學生運動中，曾有一位頭繫紅色布帶、騎著自行車前往抗議現場的學生，在被攝影師問及為什麼這麼做時，用英文回答道：It's my duty.

共同體。

如果再給我一次選擇的機會，我還會去參加的。因為實際上
參與的人愈多，每個人受到的處罰是愈少的，因為他們的能
力也有限嘛。所以與其讓少數人去承擔這個事情，我覺得每
個人應該承擔一些責任。

我覺得自己也不算勇敢吧，因為現在大家都很勇敢。一開始
我也沒有想到上海的大家能喊這麼猛的口號。後來我出去
後，發現全國各地都有類似的活動，我當時真的蠻感動的。

雖然參與這場運動的人訴求各有不同，但是我們想要對抗的
東西基本上都一樣——就是極權，當然還有極權下的極端封
控措施。我覺得這就是白紙運動最大的意義。

我沒有信心說這次運動可以改變什麼，尤其是領導人的認
知。改變是需要很長時間的，但我覺得，人們開始有反抗的
意識是一件很好的事情，因為反抗，總要有個開始。

專訪李老師不是你老師：
「白紙運動」是開始，不是結束

節目播出時間： 2023 年 11 月 25 日

2022 年底白紙運動發生前夕，李穎是一位普通的留學生。他和很多年輕人一樣，迷茫、無力、政治抑鬱，不知道什麼時候「清零」政策可以結束，不知道自己什麼時候可以從義人利回國，更不知道自己的國家在走向什麼樣的未來。

在白紙運動中，他全身心地投入其中收集、分享信息。他的推特（ID：李老師不是你老師，以下簡稱「李老師」）很快成為中文信息的集散中心。牆內的人向他投稿，他則通過推特，不間斷地向世界發佈中國人正在經歷什麼。

李老師在本期「不明白」中，談及從他的視角所觀察到的中國人的變化，以及從自己的經歷所體會的：在這個時代做一個發聲的人要付出哪些代價，為什麼喜歡用「雪花」這個象徵，為什麼喜歡談「愛」，如何看待自己獲得「頭號反賊」這個稱呼，如何避免在與怪獸搏鬥的時候自己也變成怪獸，為什麼沒有放棄，以及，他為什麼認為白紙運動是開始而不是結束。

袁　莉：李老師你好，你能不能描述一下，白紙運動前夕，你的生活和工作的狀態是什麼樣的呢？

李老師：當時我其實就是剛剛畢業的一個留學生，和其他剛畢業的學生一樣，也有一些迷茫，不知道自己是回國、還是在這邊找一些事情做。

我讀書的時候，也會兼職去輔導別人留學或者做作品集，教別人畫畫。我當時其實在想要不要在米蘭做這些事情，玩推特其實是順便的。2022 年 4 月的時候，我的微博差不多全部「炸號」（被封殺、刪除）之後，我就來到推特。然後有人需要我幫他們發一些東西的時候，我就順便幫他們發一下。

大概到了十月的時候，就是當時彭載舟的那個事情（即四通橋抗議事件）出現之後，突然就感覺心態上發生一個比較大的變化。當時沒有下定決心回國，主要也是害怕吧。疫情開始之後，就覺得它是一個不知道什麼時候可以結束的事情。到了差不多 2021 年的夏天，歐洲這邊大家打完疫苗就可以到處自由生活了，但國內反而就漸漸地開始嚴格起來。這個時候，就會有一種比較大的反差：就是你在現實中，生活差不多已經正常了，但在網上，或者說你在和家人溝通的時候，發現他們防疫措施還是蠻嚴格的。

到了 2022 年，奧密克戎來了之後，從上海封城開始，作為一個在海外的留學生其實是蠻絕望的，沒有想到就是自己的國家居然會封控成那個樣子，「大白」（指身穿防護服的防疫工作人員）可以隨便踹門進來把人抓走。當時就覺得不想回到這樣一個地方。但父母又在國內，就不知道應該怎麼辦，想等疫情什麼時候可以結束，但一直結束不了，就覺得很絕望，難道真的就要這樣一直封下去嗎？後來彭載舟的事情讓我知道：原來還是有人在為大家發聲的，還是有人在呼喊，希望引起大家的注意，讓大家一起起來把這個政策推翻掉。當時受他的鼓勵很大，所以後來我也開始去發一些國內的反抗「清零」政策的內容，也會主動去「快手」上、「抖音」上尋找相關的新聞然後發出來。我也知道國內有很多人翻牆，我希望他們知道是有人在反抗這件事情的。後來突然發生了白紙運動，一切都改變了。

袁　莉：然後你就成為了一個海外中文世界最大的資訊集散和發送的中心，是吧？

李老師：當時那幾天應該是吧，現在肯定不是了。

袁　莉：現在我覺得也是啊。現在我每天必看的一個是《人民日報》，一個是李老師的推特。

李老師：現在也有很多其他類似帳號在出現，我覺得蠻好的。但我覺得我這個帳號現在有一個比較大的作用，就是在突發的事情上它還是會保持一個即時性吧。比如說李克強逝世這件事情，一個小時前或者十幾分鐘前發生了什麼，我這邊還是可以即時地報導出來。平時為了維持帳號運營，我還是會發一些新聞，但是肯定作用就不如那些專業媒體那麼大了。

袁　莉：你真的很謙虛，我們這些做專業媒體的人也都很關注你的帳號。你能稍微總結一下，一年前和現在你收到的投稿和私信，在數量上和內容上有什麼變化嗎？

李老師：我覺得變化還是蠻大的。白紙運動前，我其實收到的資訊大部分都是「我們要被拉走了」、「我們這裡封城了」、「我們這裡隔離了」、「我們這裡沒有吃的沒有喝的」、「我們這裡很冷」⋯⋯都是這樣的資訊。一年之後的今天，我收到的資訊就是「這裡的人抗議了」、「那裡的人抗議了」。

從我的觀察來說，我覺得現在這個後疫情時代，好像大家的精神狀態有一個很大的變化，你可以看到街上發生的隨機殺人事件、跳樓的大學生、隨便開車撞人的事情愈來愈多。

袁　莉：這一年中確實發生了很多的事情，在你身上也發生了很多事情。有一位曾經因為給你投稿而被警察找的網友告訴我說：「李老師在牆內真的是被標記『頭號反賊』了。他們只要看到李老師發的推文就如臨大敵，任務一級級分發下去。」你怎麼看這個「頭號反賊」的定位？

李老師：這個事情其實我是知道的。他們很多的警察都會盯著我的帳號，包括網信辦 [54] 也是。如果我發了一個影響比較大的資訊，可能網信辦會直接下通知，告訴所有的審核員，說這一條消息、或這一件事情必須審查，所有平台上不要去傳播這件事情。

袁　莉：你怎麼知道呢？

李老師：我之前採訪了一個網絡審核員，她就跟我提到了這些。[55]

在李克強逝世後，很多人去獻花，獻了花之後，他們也會被警察找。所以這兩天，我就不再發任何關於獻花的內容了。

54　網信辦，網絡安全和信息化委員會辦公室，中國主管互聯網內容的機關單位。
55　詳見李老師的 YouTube 節目「對話網路審核員：一邊審核別人，一邊覺醒自己」。

你說祭奠一個自己的總理，結果就搞成這個樣子，真的很莫名其妙。

「頭號反賊」我覺得其實有點誇大了，我其實就是在傳播中國正在發生的事情，幫大家把他們看到的，或者說經歷的事情傳播出來。我並沒有煽動別人要去做什麼事情，或者說我們約定下個月要一起去做什麼，我也不會這樣做。我個人對於這個帳號的定位還是一個新聞帳號。

很多人其實會對我寄託希望，就是覺得現在大家都看你發的新聞，大家都相信你說的，你應該帶領我們做點事情。但我不會這樣做，除非我自己在國內，我才會這樣去做。我自己都不在國內，我為什麼要讓別人去這樣做？我覺得每個人自己覺得要去做些什麼，那就去做什麼，而不是說我要把所有事都做了。

袁　莉：你把自己的這個帳號定位為新聞帳號，你在篩選發佈投稿的時候是一個什麼標準呢？

李老師：其實我是有兩套標準的。如果說這個事情是突發的，比如說像白紙運動，或者是像李克強逝世，或者是北京水災這些事情，我肯定會比較注重投稿的即時性和真實性。在突

發事件的時候，這些投稿內容的真偽反而是比較好甄別的。平時的話，我的標準其實就會低很多，出錯也是隔三差五就會發生的事情了。當我覺得這個事情不是很重要，然後我又覺得像是當局能幹得出來的事情，我基於對於網友的信任，就會把相關消息發出來。

袁　莉：如果發出去後，你發現錯了，會怎麼辦呢？

李老師：錯了我一般就是直接刪除了。

袁　莉：你一直說你自己是被推著走的，就這麼不知不覺成了中國在海外互聯網資訊和發出聲音的中心。你一個人在面對他們整個系統的時候，會感到害怕嗎？

李老師：最開始當然是很害怕了。

袁　莉：最開始是什麼時候呢？白紙運動的時候？

李老師：對，差不多 2022 年 11 月 27 號晚上，北京亮馬橋抗議的那天晚上。

那晚發完之後，我收到很多私信的恐嚇，內容就是說「我要

弄死你」，或者說是「你再發我就弄死你」。但你也不知道那是「小粉紅」發的還是誰發的，當時其實內心還是比較恐懼的。後來漸漸地也就無所謂了吧，就覺得這個事情我不是那麼害怕了，因為沒有什麼可以害怕的東西。

白紙運動結束之後，當所有像我一樣被困在海外的留學生可以回去和家人團聚，當國內的大家可以走出社區，然後大家可以過上正常的生活，可以正常看電影、正常去逛街、正常去旅遊的時候，我覺得我哪怕沒有辦法再見到家人，或者說直接整個人在各種意義上消失掉的話，我覺得都是 OK 的，因為我想要做的這件事已經完成了。

袁　莉：你會說自己堅持去中心化，但是有人評論說你就是最大的中心。你回覆說：「當然，某種意義上我也是一個中心，所以也不要光聽我一個人的聲音。」你覺得你自己的這個帳號對於中國人來說意味著什麼？你希望用這個帳號能做到什麼？

李老師：成為這個中心並不是我個人非常想要的事情。我覺得一個良性的社會，應該有各種各樣的媒體，用不同方式幫大家發聲，而不是像現在只有我一個。當然，現在也有愈來愈多有影響力的帳號開始做這件事，我覺得是很好的。

當下中國存在非常嚴苛的言論審查，但我的推文他們是刪不掉的，他們無數次地舉報我的帳號和我的一些推文，但是都沒有成功。中國人想要瞭解中國人的事情，反而要翻過牆來推特上來瞭解。我覺得這一方面是一個挺悲哀的事情，但另一方面，大家依然還有一點點的空間去看到自己的身邊、自己的國家正在發生著什麼，我覺得也是不幸中的一個幸運吧。

對於我這個帳號，我希望它可以繼續傳遞中國人的聲音，告訴大家此刻中國正在發生什麼。你每天都看推特的話，可能會看到比較大的一種轉變，就是從一年前是什麼樣子，到了一年之後又是什麼樣子，你可以從一個角度── 不能說是全面的──看到中國的變化，這就是我希望的。

袁　莉：那我們談一談中國人的變化。你在 2023 年 7 月的一期 YouTube 節目裡面說：「儘管牆內的民眾依然在受到嚴格的言論審查，但是中國的言論管制已經開始出現失效的跡象了。」你還說：「比改朝換代更重要的是中國人公民意識的覺醒。」

四通橋抗議過去一年多了，白紙運動也馬上一週年了，在這一年裡面，你觀察到中國人有什麼變化？你觀察到了哪些現

象和趨勢，讓你得出了「言論管制已經開始出現失效跡象」
的這個結論呢？

李老師：我覺得最大的變化就是抗議的人愈來愈多。在疫情
期間，好像很多人就是在等待政府、期盼政府可以做什麼。
到了今天，大家自己走上街頭。比如說武漢醫保的事情，[56]
那麼多的老人上街；比如說各地的爛尾樓的事情，甚至全國
各地的高中生們，他們也開始捍衛自己的假期。

我覺得白紙運動之後，中國人開始意識到，我們應該去爭取
我們自己需要的東西，我覺得這是一個很大的改變。

言論管制也是一樣，舉一個最直接的例子吧，就是哪怕是白
紙運動的時候，我們也沒有看到很多「衝塔」[57] 的評論吧。
但在一年之後，李克強逝世的時候，你打開抖音，大家都是
在咒「他」（指習近平）。

所以我感覺造成這樣的變化的原因，一方面是由於社會，或

---

56 2023 年 2 月，湖北省武漢市兩次爆發退休老人為主的抗議活動。起因是武漢開展的
    醫保改革，使參保人的個人醫保帳戶每月到帳的錢從兩百多元下降到八十多元，退
    休老人認為此舉損害了自身利益，因此上街抗議，要求當局把政策調回改革前。

57 「衝塔」，在遊戲的多數情況下屬於送死行為，在此也引申為冒著重大風險來反對
    當權者的意思。

者說外部環境、經濟的萎靡，包括每個人面臨的壓力等；另一方面，不自覺之間人們膽子也大起來了。

為什麼說言論管制開始失效了，因為比如說「習近平」是一個敏感詞，OK，那大家不叫「習近平」，大家叫「包子」，或者說叫「維尼」。這個也可以封掉，那你叫「肉夾饃」，你叫「陝西人」，你怎麼封？大家每天都要吃的東西呢。就像「李老師」一樣，你不可能把「李老師」三個字給封掉了，全國有太多的「李老師」。為什麼言論管制開始失效？就是當大家都開始討論這件事的時候，你的封禁速度是跟不上大家集思廣益的速度的。

袁　莉：但是，如果和牆內的朋友聊天，以前比較自由派的知識份子，他們很多人還是比較悲觀的。就有一位媒體人跟我說：「我和國內的許多記者朋友聊天，大家的一個普遍觀察就是，白紙之後，或者說『清零』政策結束之後，輿論環境比以往更加差了，民間也很少有白紙之前那種凝聚力。那個時候『清零』政策天怒人怨，反倒激發了中國民間社會近年來罕見的某種共識。但現在這種共識也消散了，大家都在想著怎麼繼續苟活，這會讓人非常沮喪。」你同意這樣的觀察嗎？

李老師：我個人並不會沮喪，我非常樂觀。

為什麼這樣說呢？因為我覺得很多人總是期盼發生一件事就可以把一切都改變，但這是不可能的。

我覺得中國的許多事情，需要去慢慢地改變，慢慢地覺醒，或者說是人們意識到自己的一個公民意識，然後漸漸地才能去改變。不可能說突然有一天發生一件事情，然後就翻了一個面，這是不可能出現的事情。而且就算這樣的事情出現了，如果說中國大部分人沒有準備好的話，就算是給你一個民主的制度，也是沒有用的，因為這肯定會被其他的野心家所利用，最後無非就是再上來另一個皇帝。

民主這件事情，最重要的地方就是在於參與。如果說大家只是在期盼，並不參與這件事情的話，那麼最後就是它只會一遍一遍地被利用。白紙運動的時候，我就有說過，中國一定會發生各種各樣的隨機事件。因中共的執政慣性，就會導致這些事情不斷發生。就像是為什麼出現白紙運動？因為出現了烏魯木齊火災，它慣性地就是要把這個消息給壓制下去。到了李克強逝世，它稍微好了一點，開放了幾個地方讓大家去悼念，但它還是在刻意地禁止大家悼念，那大家就愈發地「衝塔」。

所以我覺得下一個這種必然發生的隨機事件還是會有，也就是說這種共識接下來還是會不斷出現。但我也不知道什麼時候中國能真正進入一個民主、自由、開放的社會。我想這個問題，每一個中國人可能都需要去問自己，如果你想要這樣的社會的話，你願意為它付出什麼？

袁　莉：我們談一下「雪花」。你的推特置頂推文是：「你看那通天的巨塔，每時每刻都有人往下跳。我小時候不懂，以為那是雪花。」這條推文發表在 2022 年 4 月 16 日，應該也是你剛開始頻繁用推特的時候。你後來在推文中也經常使用雪花這個象徵。比如說 2022 年 11 月 20 日的推文，當時是白紙運動之前，封城都特別嚴苛的時候，你發推文說：「所以與其放開了被折騰，不如就看著　片片的雪花落下去，直到大雪淹沒了屋頂，壓塌了房子，才不得不哆哆嗦嗦地吼一嗓子。」後來呢，在前外交部長秦剛消失的時候，你在小號感慨：「許多像秦剛一樣被消失的人，無論你爬得多高，只要稍有不慎，就會消失，變成雪花。就好像這個完美的國度，你從來沒有踏足過。」你能不能說一下，為什麼總是會提到「雪花」這個詞？這個象徵對你意味著什麼？

李老師：最開始寫這句話，應該是在微博上寫的。當時是富士康第一次封園區的時候，很多的富士康員工跳樓，那件事

讓我有感而發，寫了這條推文。

我們這代人，幾乎每個人都是在愛國主義教育中長大的，其實都容易被一種宏大敘事所欺騙，會覺得要想國家富強，有一部分人就要成為被犧牲的代價。那些代價就像是一片片雪花，塔愈來愈高，這些雪花反而就像是高塔的點綴。小時候我們看到，會覺得，哇，這個高塔實在太美了；但當你長大之後，你自己開始去攀爬這座高塔，才意識到，原來那個代價是你自己。

當我看到那麼多人跳樓的時候，我就意識到，你為了一個可笑的「清零」數字，把大家逼得去跳樓，我覺得是非常可笑的一件事情。後來我就發現，好像原來不僅僅普通人是雪花，哪怕是很高級別的官員，就是一人之下、萬人之上的這些人，他們其實也是雪花，稍有不慎就被消失了。所以說這個盛世，到最後其實就是一個人的盛世。

袁　莉：你在 YouTube 發佈過一期關於政治抑鬱的節目，你在節目裡建議中國正在經歷政治性抑鬱的人們減少把自己暴露在那些讓我們非常絕望、非常無力的資訊中。你說：「主動地調整自己的注意力，這一部分資訊實際上不是你需要的，你不用花太多情緒在這上面。」但你自己每天都在推特

上至少待五六個小時，接受網友投稿，你恰恰是高度地把自己暴露在很多讓人非常絕望、非常無力的資訊中。你能不能説一下你是怎麼堅持下來的？有沒有想要放棄的這種時候？你為什麼沒有放棄，一直堅持到現在？

李老師：為什麼堅持？我覺得也是一種責任和慣性吧。就是你每天醒來，看到有很多的人在等你，有很多的人希望你發出他們的聲音，這個時候你只能堅持下去。什麼時候想放棄？其實我今年四月份的時候就有想放棄了，因為壓力確實太大。

今年四月份，我個人在現實生活中出現了一些問題，然後父母也經常被騷擾。當然，他們每一次去（找我父母）都不是兇神惡煞的，甚至有時候還會帶著禮物去，但在我看來這本質上還是一種騷擾。我覺得白紙運動已經結束了，雖然說政治訴求可能沒有實現，但最基本的結束「清零」的訴求已經實現了，我覺得就可以告一段落了。我感覺這個帳號的作用也就達到了，我可能需要去轉變一下生活。

當時我陷入一種迷茫，因為我國內的一些業務都「被停止」了，包括留學、教學生，這些東西就全部都沒有辦法去進行了，我進入了一個失業的狀態。但推特又無法盈利，在這種

情況下，我不可能一直靠大家的捐助活著。所以我就覺得這個帳號可以送給別人，或者說是直接註銷掉算了，我可能就在義大利當地去做一些自己的事情了。

當時我和我的父母也溝通了。我父母就說，那你就把帳號停掉，我們就當你還在上學，每個月再給你打一點生活費，反正先撐著嘛，你只要活著就行了。然後，四月份我國內的銀行卡全部都被司法凍結了，甚至就連我的遊戲帳號都被凍結了。我就意識到：完了，可能他們不想放過我。我意識到這一點的時候，就知道沒有回頭路了。我就覺得既然你們要這樣搞我的話，我就繼續和你們戰鬥下去，我已經從一個作為中國公民想要為中國做一些事的心態，轉變成了一個私人恩怨了。

袁　莉：就是黨把你逼得無路可走，只能繼續做「反賊」，是吧？

李老師：對，而且這也是一種慣性嘛。他們肯定會這樣擠壓你，最後把你逼到現在這個樣子。我的帳號能從原來的很小的一個帳號，變到現在這麼大的一個帳號，我覺得有百分之六七十都是他們的功勞。

袁　莉： 我們說一下你的境遇。你的銀行卡被凍結，工作也被大使館寫信搞沒了，還被逼著到處搬家——這些都是你自己在推特上發的，你說自己是非常非常需要錢。在義大利這樣一個民主國家，為什麼大使館寫個信就能讓你丟了工作，還能逼著你到處搬家？能不能稍微說一下是怎麼回事？

李老師： 因為我做的業務是留學相關的，我之前和一個語言學校有個合作，一般是把學生介紹到那裡，我有時也會在那裡培訓一些學生作品集，這是一個和中國來往比較密切的工作。中國大使館大概是三月還是二月的時候，好像是寫了一封信告訴他們說：李穎在國內騙了留學生的錢，希望你們學校不要和這樣的人再合作了。那人家那個學校肯定就不跟我合作了嘛。

袁　莉： 是義大利人辦的學校嗎？

李老師： 對，是的。因為語言學校主要的生源還是來自於中國，那他們就表示不要繼續合作了，當時正在進行的所有業務也都結束掉了。

也是今年的三月，有一個男的突然開車到我以前上學時住的房子。他去找我，就說覺得我是個人才，要跟我談生意。我

當時肯定不信嘛，因為你都找到我家了，對吧？這個地址除了在中國領事 App 以外，我都沒有在其他地方暴露過，結果你就找到我家了。

袁　莉：你搬了幾次家？

李老師：我已經搬了差不多四次家了。

袁　莉：搬了四次家，每次都是因為有人找嗎，還是你心裡覺得不安？

李老師：有的時候是發現他們正在找我，有的時候是自己覺得不安全，覺得還是搬走比較好。所以一直都在疲於奔命吧。

袁　莉：你在 YouTube 那期關於政治抑鬱的節目裡面分享，自己每天固定花在推特上面的時間有五到六個小時，除此之外，還要盯著隨時發來的投稿，基本上相當於一份全職工作了，甚至比全職工作還要累，因為你說你半年就休息了三天。但是你從推特上獲得的廣告分成是非常非常少的，六個月只有 3,409 歐元，折合人民幣大概是 26,786 元（約合新台幣 119,262 元）。你方不方便說一下，你現在的收入情況

是什麼樣子？你開了 YouTube 頻道以後，收入會不會增加一些？你現在每個月大概的收支狀況是怎麼樣？

李老師：其實因為我本身做這件事情就不是為了錢，所以一開始我也沒有立即開 YouTube 頻道，然後我也就只接過一次廣告，還「翻車」（失敗）了……

袁　莉：你還接過廣告？我都不知道。

李老師：之前有接過一個移民公司的廣告。後來當他們把我的資產全部凍結之後，我覺得在現實中做一些工作應該也沒有可能了，如果說他們知道你在哪裡，就是哪怕你已經不做這件事了，他們估計也還會去搞你。所以我還是需要在互聯網上依靠這個帳號去生活，我也是等了幾個月的推特的盈利狀況，最後發下來的錢很少，而且現在是愈來愈少。10 月 15 號到 11 月 1 號，這半個月我大概就有三億多的瀏覽量，收益是 280 美元。

袁　莉：怎麼可能？

李老師：對，280 美元，很扯淡。當時我看到這個推特收益以後，就覺得不行，我靠這個收入的話連貓都養不起，就

覺得只能開個 YouTube 頻道，然後去胡說八道一下。當然主要是感謝大家捧場了，雖然說我做得那麼爛，但大家還是很願意捧場，所以我很感激大家。現在的話，基本上每個月 YouTube 的收入已經有一個義大利普通人的水準了，養活我自己和貓是沒問題的。當然，我給自己的定位是一個沒有未來的人，因為我看得很開，我覺得可能隨時就有幾個人破門，然後我就「跳樓」了，或者說我就被「重度抑鬱症自殺」了，是吧？所以我看得很開，我也不需要去攢錢，或者說為未來的生活去做什麼準備，反正每個月有多少錢就花多少錢。

袁　莉：我聽著挺吃驚的，你這是做了特別特別壞的一個打算，是不是？

李老師：不啊，就是我覺得我沒有什麼未來嘛。

袁　莉：你為什麼沒有未來呢？我覺得你是中國未來的希望啊，你怎麼可以沒有未來？

李老師：我覺得國內的警察是很恨我的。基本上凡是有去「喝茶」（被國家安全警察約談）的人回來都跟我這麼說，就是說我增加了他們非常多工作量。而且不僅是工作量，因為我

可以接收投稿，所以他們還要防著他們自己人給我投稿，導致他們又有很多思想類的工作要做。

而且雖然說我定義我的帳號是個新聞帳號，但他們肯定不這麼覺得。他們肯定會覺得，萬一哪天你突然號召大家上街，大家去了怎麼辦？所以他們肯定會一直想要把我抓回去。

我覺得我現在的心態就是，隨時死掉都 OK。一旦我死掉的話，我覺得這個帳號的故事就有一個最圓滿的結局──有這麼一個人，他做了這些事，然後他死掉了。但如果我不死的話，這個事情就是會一直拖下去。

我現在看得很開，我以這樣的心態活著，就不會害怕他們。

袁　莉：你現在還畫畫嗎？

李老師：我很想畫畫，但是我已經沒有時間畫畫了，特別是做了 YouTuber 之後，完全沒有時間去畫畫。

袁　莉：你有一條推文讓我特別感動。這條推文發佈於 2023 年 1 月 7 號，是一條關於回國入境不再需要向大使館申領健康碼的通知。你在這條推文的結尾處寫著：「同學們，

你們都可以回家了。」然後你又寫說：「離家的原因有千萬條，但是回家的理由一條就夠了。」你能説一下，這一條回家的理由是什麼嗎？同學們都可以回家了，但是你自己不能回家，你有沒有想家想到哭，或者覺得自己也挺委屈的？

李老師：白紙運動剛結束的時候，其實哭了蠻多的，也會覺得很委屈。就是覺得明明推特上有這麼多的媒體，或者說是粉絲很多的「大 V」，但最後這件事情卻是由我在做，所有的壓力都是我來承擔。我當時覺得挺委屈的，但後來其實也就沒什麼感覺了。之所以願意去這樣做，其實核心的動力就是我想要回家嘛。最後的結果就是大家都可以回家了，但是我再也回不了家。但我並不覺得後悔，幫助到很多人回到家，我覺得犧牲我自己的這個小家，是沒有問題的。

袁　莉：你是安徽阜陽人是吧？

李老師：對。

袁　莉：你的小號裡面寫過一條關於阜陽的，你説：「如果是國內五點的話，我現在已經出門吃包子喝糁湯了。」然後你説：「很震撼，一覺醒來信仰破滅了。本來以為糁湯是只有阜陽有的小吃，是乾隆路過阜陽喝的東西，外邊是沒有的；

結果評論裡發現整個黃泛區都喝糝湯，幻滅感不小於小時候讀書，發現埃及文明比中國早兩千年。」你會經常想要吃中國的東西嗎？

李老師：嗯，我其實現在經常自己在家做糝湯了。因為它其實就是用雞湯沖一下生雞蛋，挺簡單的。我寫那些條推文的時候，就是突然挺感嘆的吧。我所思念的那個家鄉到底是什麼？我以為那些獨一無二的東西，其實到處都有，好像它並不是一個獨特的東西。後來我在想，其實所謂的家鄉，就是你生活過的地方和你的記憶，其實和那裡有什麼好像也並沒有關係，重要的是它在你的記憶當中。

袁　莉：對，我特別能理解。那我們再來說一些更抽象的事情吧，就是在你的大號和小號裡，我讀到很多推文是關於愛的。你會問說：「愛是什麼？」會說：「普通人唯一的財富就是愛人的能力」。你說：「很希望多討論愛，但是我的愛太尖銳了，容易刺傷。」你還說：「依然還是很羨慕那些被愛著的人，而我們在大多數時間裡，只能假裝自己已經看透了愛的真諦。」你被炸掉的微博小號，還有一篇被網友稱為「純愛消亡史」的長文。但你也會警惕，說愛被用來遮蔽和掩蓋社會問題。你說：「不能用愛來感化一個家暴的人，同樣不可能用愛來感化一個國家，特別是你在分不清楚國家、

政府、政黨和你自己的時候。」你能不能説一下，為什麼你這麼喜歡討論愛？關於愛的什麼部分讓你感到困惑？

李老師：我之前在微博上的時候，其實就經常寫一些愛情小故事，或者說是對於愛的感悟。我很多的畫的題材也都是關於愛的。

我覺得愛是我做所有事情的一個內核吧。我之所以去做這件事情，是因為我愛我的國家，我希望它變得更好；我愛我的父母，我希望可以見到他們；我愛這裡的人，我希望他們可以生活得更好，在疫情期間被封控的時候，我希望他們可以獲得自由。這一切的原動力都是愛。包括我很多的繪畫作品，我的一些文字，也都是以愛作為內核的。

這就是為什麼我經常去討論愛。因為我一直覺得愛是人很重要的一個部分，你一定是以愛為驅動力，才能讓你去做更好的事情。如果說我恨這個國家，我恨這裡的人的話，其實就不用去關心他們在做什麼，直接去過自己的生活就好了。所以對我來說，愛是一份推動我往前走的力量。

袁　莉：很多人在反抗的過程中，自己的心會變硬。就像尼采説的，與怪獸搏鬥的時候，自己也變成了怪獸。你怎麼能

讓這種堅定的反抗和柔軟的愛，在你身上同時存在？

李老師：您剛才說的尼采的那句話特別好，就是與怪獸搏鬥的時候，自己也會變成怪獸。很多人在反抗的過程中，自己的心也會變硬。其實我的內心也是處在一個變硬的過程中。運營這個帳號，其實最大的痛苦就是很多人會在自殺之前找我，跟我說很多話。最開始我希望去安撫他們，陪陪他們，然後希望他們可以放棄這樣的念頭，後來發現沒有用。可能我當天跟他／她說了很多很多，第二天我睡覺起來一看，他／她就跟我說：「李老師，再見」，就消失了。這樣的事情可能一個月有個五六次。

所以後來我的心也就慢慢變硬了，再有人跟我說這樣的話，我也不會去回應。他／她哪怕告訴我他／她很痛苦，但我幾乎就不會再去回覆了。哪怕我心裡有話很想告訴他／她，我也不會去回覆。我也沒有想到我會變成這樣子，我其實挺自責的。但沒有辦法，不然我作為一個個體，承受的壓力實在是太大了。

關於如何讓堅定的反抗和柔軟的愛同時存在，我是這樣覺得，就是大家在推特上吵架，其實是一個很正常的事情。因為一個言論自由的社會，大家都會各抒己見。但是很遺憾，

很多架吵到最後，就會互相指責對方是共產黨。淪落到這樣一個地步，我覺得其實是個挺遺憾的事情吧。從我的角度，我覺得也有很多人會攻擊我，會找我吵架。大部分的情況下我是會選擇包容，但如果是謾罵的話，我直接把他／她屏蔽就好了。但是如果是討論的話，我一般就是 OK 的。

袁　莉：再接下來一個問題，就是你覺得年輕一代，或者說「白紙一代」和「六四一代」的異見者，有什麼不同嗎？你看著那些已經或者正在老去的異見者，和他們在網上的各種姿態，你會對自己說什麼嗎？你希望三十年、四十年以後的自己是什麼樣的？雖然你剛才說你沒有長遠打算，但是我覺得每個人年輕的時候還是會想要說我不想成為什麼樣子，或者說我希望成為什麼樣子。更大的一個問題是，你希望中國成為一個什麼樣的國家？

李老師：「年輕一代」或者「白紙一代」，和「六四一代」的抗議者，他們之間的不同，我覺得是時代背景的不同吧，它其實就催生了不同的方式。

在「六四」的時候，社會環境比今天要寬鬆，大家可以從全國各地往北京跑，還可以佔據在天安門的廣場上，甚至去進行絕食施壓，去和國家領導人對話。當然，他們遭遇的代價

也更大——就是生命的代價。

但是像「白紙一代」，生活在一個完全不同的時代。互聯網那麼發達，這就導致很多的人可能就不會想再去上街，覺得在手機上看到、在社交媒體上發聲，就已經足夠了。但言論管制和社會管制，又上升到了完全不同的層面上。你不可能說召集多少人上街，因為消息發出去就不見了。

在「六四」之後，一些抗議者們還能跑出國。今天的話，我所知道的就是很多人的護照都被沒收了。時代是不同的，所以抗爭的方法也是不同的。直接強行把「六四一代」和「白紙一代」作一個對比，好像說「六四一代」更勇敢，或者說「白紙一代」更聰明，我覺得都是沒有意義的。

在我的概念當中，我會覺得「六四」是一個結束。6月4日天安門清場之後，中國其實進入了一個三十多年的沉寂，後來就沒有再出現那種大規模的抗議活動。而「白紙運動」，它是一個開始。

今年，很多的媒體想要採訪我，說紀念白紙一週年什麼的，其實我都拒絕了。為什麼呢？因為我覺得「白紙運動」是一個開始，它還沒有結束，所以我個人並不會去紀念它。除非

是這個事情過了十年、二十年，它真的成為了一個曇花一現的事情，那我可能每年會紀念它一下。

老一代的抗爭者，很多人我非常地敬佩。像周鋒鎖老師，其實一直到今天，他也是一直站在第一線去抗爭，去幫助一些社團建立，包括他創辦的 NGO「人道中國」，也給了很多人幫助，所以我是非常敬佩他的。如果說三四十年之後，我會很希望成為像周鋒鎖老師那樣的人。

當然也有些老一代的人，他們會隨意指控別人，說別人是共產黨的人。我會特別提醒自己，以後不要成為這樣的人。

我希望三、四十年後，大家不會還是以「李老師」的身份去記得我，而是以一個藝術家或其他身份去記得我。這樣的話，就意味著我的使命已經完成了。我希望我變得不重要，這就說明這個社會愈來愈好了、這個國家愈來愈好了。

我希望中國成為一個什麼樣的國家？說實話，我其實沒有說我想要它成為一個什麼樣的國家。因為中國會變成什麼樣子，其實是每一個還在中國生活的人需要去問自己的：你希望未來中國成為一個什麼樣的國家？答案在他們手裡，未來也在他們手裡。

畫外音｜不明白播客背後的故事

「習近平的名字是可以直接説出來的嗎？」

2023 年 6 月 6 日，「不明白播客」開播一週年之際，主持人袁莉到訪台灣，在台北飛地書店與聽眾朋友們見面。因機會難得，飛地店內店外皆坐滿讀者。在這場活動中，身為記者與播客主持人的袁莉，難得以主講者身份出場，詳細分享了節目內外的心路歷程；而聽眾們也提出許多精彩問題，共同講述活在這個處境下的種種「不明白」。

以下內容為當日對談內容摘要，由聽眾自發整理、飛地出版編輯而成。

張潔平：疫情期間過了很艱難的三年，我也是靠聽袁莉的「不明白播客」治癒自己，所以我想先把時間留給她，讓她講一講「不明白播客」背後的故事，包含為什麼要開、製作過程是怎樣的。

袁　莉：其實我這輩子都沒有想過我會做任何聲音的節目，因為我很討厭自己的聲音，就是受不了。但是我很喜歡聽播客，我會聽很多很多的播客和有聲書，自己可能有一些認識。

去年四月，上海封城那段時間，我想大家也還記得，每天看那些圖片、視頻，忍不住地哭。我知道我們做記者其實應該有些 detachment（抽離），但那會兒就是沒有辦法，真的是覺得很抑鬱，無法排解的抑鬱，不停地問──雖然我對共產黨的期望值是非常低的，但是到那個時候，我說怎麼可以做到這樣子？幾千萬人，不僅是上海，還有別的地方，怎麼可以這樣？我們怎麼就到了這一步？

我一直是寫英文的，雖然每一篇專欄都有翻譯成中文，但是覺得和中文的讀者、中國境內人士的 connection（連結）愈來愈少，我想做點什麼能和他們直接對話。我當時在首爾，那邊也有一些大陸記者。我是在香港沒辦法、搬到首爾去，

他們也有些是在大陸沒辦法、搬到首爾去的，我們就會討論能做些什麼。後來又和世界各地做記者的中國人聊，大家就說你就做一個播客，因為每週寫東西其實是更費時間的。我覺得我做了幾十年的採訪，做播客應該還好，基本上是給騙著就上來了。因為他們年輕人一說起來、就開始動起來了，什麼 logo、「不明白」就出來了……我不好意思再退出，我們北方人叫「趕鴨子上架」，我就被趕上去，不得不做了。

一開始我是非常緊張的。我們做文字的記者，一般很少真的自己列問題題綱，差不多腦子裡知道什麼東西就開始問。但是做播客我非常緊張，到現在還是會把每個問題都列出來。其實到現在為止，我說話還是坑坑疤疤，剪輯師經常抱怨我、吐槽我，哈哈。

（播客）做起來以後，剛開始有一些反響，可是沒有那麼大，應該說是我預期內的反響。第一期是慕容雪村，第二期是裴敏欣，從第二期開始我們就被「牆」掉，在大陸的人就上不去我們的網站了。再往後，牆愈來愈高，本來在大陸的 App Store 就上不去，後來 Spotify 也不能上了。再後來，我們用美國一個 hosting service（網絡代管服務），（中國）還把那個 hosting service 都「牆」掉了。我不知道那個公司是否知道他們在中國被「牆」掉，是因為我們，也覺得有點不好

意思。

這麼做下來，我覺得對我來說是一個治癒的過程。因為我們逐漸開始有聽眾群，尤其是年輕人，大陸的年輕人。在白紙運動之前我們也做過一期，就是 Cassie，倫敦的一個留學生。「四通橋」以後，很多大陸留學生到處去貼四通橋標語，她就是在倫敦（做這件事）。她講自己多麼害怕、多麼孤獨，但是四年只有一個同學可以談一點點政治。其實大陸這些年輕人是很孤獨、很苦悶的，他們經常給我發各種私信，我就變成了他們的一個樹洞。這是讓我非常感動的，讓我覺得做的這個事情是很有意義的。

「二十大」之前，我們開始做「二十大專題」。因為是政治之年，我們也很幸運請到一些人，像蔡霞老師、吳國光、許成鋼，他們是真的很厲害，而且他們真的特別幫忙。像蔡霞老師，她老是說「哎呀我沒有時間」之類的，我就打個電話過去說「現在就錄吧」，就把她「騙」來錄一集了。當然這也得益於我很多年做記者，這些人很多實際上都是我以前就在大陸認識的，或者是我以前做採訪（的對象）。

我一方面沒有想到反響這麼大，聲音絕對是一個特別親近的媒介，然後竟然還有人說喜歡聽我的聲音。另一方面，我也

覺得收穫非常大，也實際上對我在《紐約時報》的報導（有幫助）。《紐約時報》有一個委員會，我們所有記者做任何和工作無關的 project（項目），都要通過這個委員會批准，他們很快就通過了。「不明白」對我的報導很有幫助，因為現在我們聯繫國內的人是非常困難的。雖然我現在能採訪到的這些人，當然是有一些 bias（偏向）、是挑選的一些人，但我覺得那也可以啊，因為大陸已經變成一個黑箱了，我們能得到多少聲音是多少聲音，我覺得也是一條路，是被他們給逼出來的一條路。

張潔平：可以講講最治癒你的一兩期嗎？

袁　莉：我覺得 Cassie 那期是很治癒我的，因為「四通橋」剛開始的時候，西方媒體沒有報導太多，大家認為就是這麼一個人在四通橋上掛了標語，這有什麼？但是我覺得很多我周圍的中國人，內心是深深震動的。這個人這麼有勇氣能在四通橋上（做這件事），而且你可以看到他是那麼沉著、知道自己在做什麼，我們真的是非常震動。

「打倒習近平」、「國賊」這些話，為什麼那些標語都非常 resonate（引發共鳴），對於大陸人來說，那會兒真的是大家的心聲，「不要文革要改革」這些東西很快就（傳播

開來）。這些留學生到處去貼標語，我就很幸運地找到了
Cassie。她真的是口才特別特別的好。她跟我說了很多心裡
話，讓我覺得不好意思。

雖然以前我也知道有些獨立思考的年輕人，但是我覺得大陸
年輕人大多數還是小粉紅，但那一期讓我知道，原來這個人
數可能是比我想像的要多一點點，不知道多多少，但我願意
相信是多一點點。

還有就是白紙運動那兩三期，也讓我非常感動。我在推特上
就發了一條「昨天晚上去參加抗議活動的，請和我聯繫」，
我的推特私信、還有我《紐時》的工作郵箱就爆掉了。他們
也都很願意來跟我談，每一個人都說「我不是去抗議的，我
只是去紀念在烏魯木齊大火中死掉的同胞」，後來就不由自
主地（行動），你可以看到每個人說的都是這樣子。這個我
也特別感動。

後來有一個女孩，她被捕了以後，來（節目上）描述了特別
多的細節，是自己被捕 24 小時的所有過程。我記得我在節
目裡不停問她：「你確定你想要跟我們說嗎？你確定這個想
讓我們播嗎？」她說：「可以啊，沒有問題啊，就是這樣子
的。」

其實在《紐時》或者是美國媒體，任何時候都不會給採訪對象看我們寫的東西，但這一期我破了例，因為我心裡太忐忑了，她說的那些東西讓警察可以很容易就找到她，我就想要讓她來聽一遍。結果我發了郵件過去，用各種方式找她找了好幾天，真的找不到她，那幾天我真的就睡不著覺了。結果後來她突然冒出來說：「哎不好意思我前兩天在追劇」，我就說：「年輕人，我的心臟病都快發作了」。然後她聽了一遍，就說沒有問題。總之這些都是很治癒的，你就覺得他們給你的這種信任，這是特別治癒的，而且非常 inspiring（振奮人心）。這些年輕人很有想法，他們說的很多話都讓我覺得，我沒辦法說得這麼好。

張潔平：還有一個，是我覺得跟在報紙做記者很不同——你做的是評論。你說播客是一個很親密的媒介，所以你有很多聽友，就像在座的大家。袁莉的播客雖然第二期就在牆內封得乾乾淨淨，但是影響力很可怕，很多人是下載下來，用微信或是手機短信，傳給自己的中學同學、小學同學。我上了你的播客，就因此聯繫到小學同學，還有中學同學，很可怕。我在 2019 年香港的運動之後，就沒有太敢聯繫國內的朋友，主要是大家的緣分停在那比較好，很怕後面談不下去。結果就好多人（來聯繫我），真的，高中同學至少二十個人。但是很難想到，因為那些朋友都不是平常在談論這些話題的。

我是那次之後才意識到，就像你説的，我原來也覺得在國內很多朋友可能政治上的概念已經被官方塑造得差不多了，不會有再有其他的想法；但是「不明白播客」就好像讓所有有不明白想法的人都「出櫃」了的感覺。所以我想問問你，聽眾給你的反饋是什麼樣的？

袁　莉：聽眾的反饋太讓我感動了。前一陣子我在推特上説，因為實在太忙了，經常都沒時間睡覺，那陣子又要搬家到紐約，我實在是受不了，中間有停播兩週，當時就説找個 editorial assistant（編輯助理），收到無數多的（申請）。

我講一個故事吧，是關於江雪的。她是中國前調查記者，現在在紐約。前陣子她去 MoMA（現代藝術博物館）參加一個香港電影討論活動，休息時間出去門口轉了一圈，碰到了一個女孩子，看起來也很年輕，應該來自大陸。她們兩個開始聊天，講了幾句話之後，這個女孩子突然對她說：「不知道你聽不聽一個播客？」這談話要怎麼進行下去？現在有太多的雷可以觸了，就不知道該怎麼辦。但她說了「不明白播客」，江雪就聽懂了，對上了，變成了「接頭暗號」。你們就會知道對方大概是什麼政治光譜的人，大概知道可以說到什麼程度。這個女孩子特別讓人感動的是，她媽媽是大陸「體制內」為政府工作的，是不可以用 VPN 翻牆的，所以

393

沒有辦法聽；她每次會和媽媽 FaceTime（視訊通話），放給她媽媽，真的是非常感動。

還有我最近採訪年輕人失業，我就在推特上說了一下，也是無數人（投稿），有一個女孩子她非常勇敢，她說她會用 Notion 下載、分享給親近的朋友。他們會有各種各樣的方式（傳播）。為什麼我們都要做文字版，而且我覺得我們做得還相對認真，雖然慢了一點，是因為文字是最好傳播的。有很多在大陸的人是靠讀文字來「聽」我們播客。

因為第二期就被「牆」了，「不明白播客」在中國互聯網上很快成為一個敏感詞。還有聽眾跟我反應，他們因為在微信朋友圈討論、寫到「不明白播客」，帳號就被 suspended（停用），禁言七天、十四天之類。後來大家會給我發各種各樣的截屏（截圖），他們在微博、豆瓣上都是討論「那個播客」，因為習近平在中國叫「那個人」，也還挺有意思。

現在有相對多的志願者來幫我做一些事情，像是幫我做 research（研究），因為我自己一個人真的是太累了。所以（播客）不是我一個人做的，我只是露臉的人，後面真的是有很多人的。這不是眾籌，也是一個眾籌。

張潔平：袁莉是非常好的記者，但這（不明白播客）就是正常的、好記者的新聞發揮。我們知道在中國也有很多好記者，他們可能只是出不來聲音，所以我才意識到，原來在國內對於資訊飢渴已經到了這個程度。

袁　莉：對，就是這樣子。一開始我覺得特別有意思的是，推特上各種留言問說：「這個是可以說的嗎？」、「習近平的名字是可以直接說出來的嗎？」其實我覺得這些年大陸年輕人真的是挺難的，中文語言的污染太嚴重了。在大陸，因為要規避審查制度，那麼多的詞都變成了拼音縮寫——例如警察是 JC。說話不可以直接說出來。我有時候看年輕人發的那些題，（就算內容）和政治沒有關係，但都習慣了要用拼音來發，我經常要想一下他們在說什麼。你能夠直接地、正常地（說話），我只是正常地（問問題），但是大陸現在就不存在這樣正常的新聞。

張潔平：我其實想請袁莉說一說這些年的變化，你的觀察，（中國）怎麼變到這地步？

袁　莉：這幾年大家都在問的，就是中國怎麼就變成了現在這一步？在大陸做新聞的，大家都嘆了口氣。

我是很幸運的，我在《紐約時報》可以繼續做我想做的事情，但是我認識的太多大陸記者不再能夠做新聞。從 2015、16 年開始，我逐漸發現很多人（前記者）變成了採訪公關。當時在大陸有一句話流行的話：「記者不是在阿里巴巴工作，就是在去阿里巴巴的路上」，真的是這樣。當然經濟上的壓力可能有一部分，但是他們其中很多人，都是很有新聞理想的人，但就是沒有辦法做以前想做的事情了。

這麼說吧，我覺得我對習近平的認識是從《南方周末》新年獻詞事件（開始）。他在當選中共總書記之後，很快就對新聞下手了，而且《南方周末》是中國最旗幟型的自由派報紙；然後很快就開始「打」微博的「大 V」。你可以看到中國的言論空間愈來愈小，記者可以做的事情愈來愈少。後來，中國開始有各種各樣災難的時候，已經沒有媒體去追新聞。我不得不嘆氣。

但是到武漢疫情爆發的時候，大家還是衝了過去。那時候，有那麼短短一段時間，我覺得中國政府其實有點不知道該怎麼做。所以，大家可以看到中國有很多很好的記者，非常有新聞理想，也很有憧憬，只要給他們一點點空間，他們就可以做很多事情。

張潔平：我現在特別不敢在 Google 上搜袁莉的名字。我都有點不能面對，她做了「不明白播客」之後，敏感度直線上升，不是，應該是說跳崖式下降，一下子就把自己的敏感值拉高到滿點，特別常被中國各種簡體網站或是官媒攻擊。你對這個狀況有心理準備嗎？你怎麼調解這件事、有在調解嗎？

袁　莉：我沒有調解，我自己不搜自己。跟慕容雪村做「流亡」那一集時，我就跟所有人都說：「不要去搜自己」。搜自己沒有意義，尤其像我們這種人。

我從微博時代就被罵，臉應被罵得很厚。最恨我的其實是我在《紐約時報》寫了一些文章，就比如說西安封城的時候，我用「平庸之惡」去寫為什麼有這麼多人會支持、執行這個明顯錯誤的決定。那是恨得不得了啊，別人有發給我各種謾罵。但是到了九月，大家封城都封了一輪，很多人都被封過了，就有好多人開始轉發罵我的那篇文章，因為用這篇文章可以讓大家明白發生在我們身上的是怎麼回事。所以我覺得，罵就罵吧。

我就是比較楞、神經比較大條的那一種，反正我無所謂，罵我要混口飯吃我無所謂，或者要發洩我也無所謂。但是也有

那麼幾個年輕人給我發過私信，說「我以前罵過你」。我覺得去年上海封城，還是「封醒」了一批年輕人；他們會過來跟我說，也是很有勇氣的。

張潔平：那你對自己以後要完全、長期在國外生活，或說你在節目講的「流亡」這種狀態，這個也不需要心理準備嗎？

袁　莉：（嘆氣）我在北京住到 2015 年，然後去了香港，但說實話，前面幾年我不是太喜歡香港，因為不認識什麼人。我在北京的朋友太多了，但是因為要寫東西，就必須得搬到香港，反正就是（因為）中國各種奇怪的規定吧。

但是我每個月至少回一次北京。我還住在北京的時候，我家就是一個聚會的地方，就是各種文化呀、商業呀，認識的人很多。後來我從香港回北京的時候，北京朋友就說：「我感覺見你的時候，比見我們住在北京的人還多一些。」我經常會組織，特別喜歡召集大家一起吃飯聊天，所以確實是這樣。

我很想念北京的那些朋友們，但是有太多（不可抗力），既然是這樣，你就 live with it（與之共存）。你沒有辦法改變的事情，就 make the most of it（充分運用），當然這不是

一個理想的狀態。其實我身邊有很多年輕記者，他們經常會來和我聊天，尤其是大陸這些在外媒做事的年輕記者。我覺得去年（2022 年）以前，他們還會有各種各樣的顧慮，但是去年真的是大家忍無可忍，讓很多人做出決定要做這些報導，可能有幾個人現在知道他們回不去了。我不是唯一的，太多人都是在外面沒有辦法回去的，所以我覺得也無所謂吧。

張潔平：這個確實是。我不知道到底有多少量級，我們沒有公開的調查，但在海外的中國人愈來愈多，尤其是比較自由派的，或者是各行各業的人都很多這個群體，你會怎麼看它現在的狀態？你估計這個現象會怎麼發展？

袁　莉：我也不知道這會怎麼發展，比如說我採訪這些失業的年輕人，真的是每一個我問他們「你們以後打算怎麼辦」，就一個字，「潤」。沒有一個人不是這樣子的。白紙運動的時候我有採訪一個年輕人，他是在校的大學生，前兩天因為六四他又跟我聯繫了。我說：「你現在怎麼樣，還考研嗎？」他就說：「還考，但我肯定是要『潤』的。」

張潔平：那還考啥？

袁　莉：因為他還想攢點錢什麼的，不知道。我們這期會出一個關於失業的播客（EP-053〈如何面對「35 歲失業」這個坎〉）。有一個年輕人，他說他覺得不僅是經濟上沒有任何上升的空間，他在精神上也要崩潰掉了。我採訪他們的時候，沒有想說要問別的方面，只是覺得失業問題更多是經濟上的問題，但他們很多人都會談到，各種各樣的事情都讓他們覺得沒有辦法待下去。我覺得以後會有愈來愈多的人出來。因此我們非常需要像這樣的「飛地」，很有能量、很願意做事情、給大家搭平台的人。

讀者問答

聽　眾：袁莉提到現在在中國做採訪非常困難，這幾年其實有非常多專家學者已經不太接受採訪，但袁莉還是採訪到非常多的嘉賓，可是其中有一些嘉賓可能實際上在海外，或者他某種程度在一個比較安全的位置，所以他可以出來發聲。面對現在這樣這幾年中國對外發聲的變化，比如說大部分的對外發聲的聲音可能來自這樣子的群體，他可能會對中國的理解，或者是說對整個中國的議題的理解，他也會出現另外一種想像。所以我想問，你自己在採訪嘉賓時有沒有遇到這種問題：面對大部分來自比較「安全」範圍的學者跟大規模壓制的國內聲音，到底應該怎麼樣平衡？

袁　莉：我認識的專家學者雖然還挺多的，但是願意接受採訪的人愈來愈少了。即使他們接受了我的採訪，比如《紐約時報》的採訪，也會被｜找｜。少數敢接受採訪的人會被找，或者有些人我們還沒有打電話，只是聯繫一下，然後他們就被找了，被要求不許說話，這也是沒有辦法。這讓中國愈來愈變成一個黑匣子，這對中國其實也是很糟糕的，因為大家只能通過一些願意說話的人的聲音來瞭解中國。

我採訪了很多學者，他們本身就在美國或者境外，他們也面

臨著和我們記者一樣的問題,就是愈來愈少機會可以去大陸。任何人去了大陸,我都會願意來和他們談一談,比如你去接觸了什麼樣的人、見了什麼人、你們都談了哪些問題⋯⋯只能是這樣子,其實是非常有限的。

所以大家就說現在的中國報導就像盲人摸象一樣,大家都只能摸到一部分。當然這個說法我是同意的,但是我昨天在致昕的節目(「不好意思請問一下」)上也談到了這個問題:盲人也有生下來就盲、不知道大象是長什麼樣子的,也有後天盲的。如果你知道大象是長什麼樣子,你現在摸到一部分,大概知道和以前(相比)有什麼樣的變化;但是如果你本身完全不知道大象長什麼樣子,那你只能摸到一部分。我覺得這對以後的年輕記者或者年輕學者來說,可能是一個很大的挑戰。當然也許我是不對的,就是做報導非常非常難。

聽　眾:聽這些播客的時候,我非常震撼,這些人能夠講到這麼地直白、這麼地真誠,這麼彼此信任,雖然有些會做聲紋的處理,有些會把名字或地點去識別化。我最近聽得最揪心的就是「編程隨想」,因為她(「編程隨想」的妻子)在境內,她先生在監獄,但她能夠這麼坦白地跟您溝通,這中間的歷程您能講一講嗎?

袁　莉：是，貝女士非常勇敢。其實這不是我說服她的，是她自己想要來講的。我當時先跟她溝通過一次，她一說起來打不住，情緒很激動，我就說你現在先不要說了，我們上節目聊。她是一個很聰明、很有智慧、很有邏輯的人，她那一期我在做節目的時候，好幾次我的鼻子都酸了，真的是這樣子。那一期打動了很多人，好多人都說他是哭著聽了下來的。

我們做記者還有一個 dilemma（困境），就是有時候你報了這件事，她有可能會有危險。但是我想她願意來說，那就給她一個平台來說。我後來跟她聯繫，問她播客播出來以後有沒有什麼麻煩，她就說：「我也在等，我不知道他們什麼時候會來」，前幾天我有給她發了一條私信，發出去幾個小時就發現她好像被帶走了，我又趕快去把私信刪掉。

其實我經常會這樣，比如說白紙運動的那些年輕人，我不敢給他們主動發信息。我不知道他們的手機是不是已經被落到公安的手裡，我都是等他們來主動來聯繫我的。面對這樣子的一個政府能怎麼樣？也沒有辦法。

聽　眾：剛剛聽到身為在海外流亡者的身份，袁莉講的可能比較多是一種無奈，但我相信也會有恐懼或是其他感受。有

點想聽袁莉說說會不會有這種恐懼、如何去應對它？

袁　莉： 我覺得每個中國人都在恐懼中國。我記得 2008 年剛從紐約回國的時候，當時大陸互聯網上有一句話：「美國人都長了一張沒有被欺負過的臉」，我大陸的朋友們就說我特別天真，長著一張沒有被欺負過的臉。但是我前兩年開始看到鏡子裡的自己，覺得臉上開始顯示出「我受了委屈」。

我覺得在大陸的人都有各種各樣的恐懼——為什麼那麼多人不說話呢？比如有些年輕人想跟朋友講到底發生了什麼事，但他們的朋友會回答：「不要告訴我，我不想聽。」為什麼不想聽？我相信原因很多，其中一個就是恐懼。他們不想聽，因為裡面涉及到一些名字，比如習近平的名字，他們都覺得是不應該說出口的。白紙運動的時候，年輕人喊出了口號、喊出習近平的名字，那是非常的 empowering（充權）。

張潔平： 好奇怪，喊出習近平的名字會感到 empowering。

袁　莉： 我也覺得這很奇怪，但他們就是用恐懼統治你們，每個人都有恐懼，我肯定也有。但我不認為這有什麼不對的，因為比起國內的很多人，甚至很多朋友還在監獄裡面，我們現在已經很幸運了，我沒有什麼好抱怨的。

聽　眾：米蘭・昆德拉（Milan Kundera）在《無知》裡面説，奧德修斯十年流亡之後回到他的家鄉，他最痛苦的是他家鄉的人不理解他了。我在北京住過一段時間，那時中國的知識份子在爭論，誰理解的、掌握的是「中國的真實」；而如今製造了大量的流亡者，這個群體沒有辦法跟中國國內有好的交流，甚至難以瞭解真實情況的時候，在境外做相關新聞跟報導，你覺得會有哪些侷限，又是怎麼克服的？

袁　莉：我每天都會讀《人民日報》。其實讀《人民日報》可以讓你學到很多東西，比如在 2022 年 12 月 7 日他們突然解封，突然之間整天說經濟；接下來十幾天，每天頭版全部是我們要怎麼全力抓經濟，你就知道風向轉了。這也是一個很容易的判斷，你可以預測他們接下來會怎麼做。除了讀《人民日報》，也有很多同事收集微博熱搜，我每天都會看，但多數情況下就很無聊，真正的新聞是上不了熱搜的。也可以去找年輕人都在說什麼，例如小紅書，我一天可能在手機上看八個小時。

播客對我來說是一個特別好的報導工具。現在採訪中國人是很難的，我去年有發生過，打電話給採訪對象的過程中，對方會收到一條短信警告境外電話、防止詐騙之類的；還有人打了電話，就有警察到你家裡來；我們同事在微博上找人，

他們的私信就會被掛出來。現在有愈來愈多人在推特上分享他們的故事，因為在國內是沒有空間發言的。

但作為記者，沒有任何一種辦法可以取代你到現場採訪，與人面對面談話，可以親眼看到究竟發生什麼。這是最好的，但是沒有辦法，哪怕是中國境內的一些外國記者，他們出去採訪也會遇到各種騷擾和被騷擾。

聽　眾：我想就你剛才談到的恐懼這件事問一個 follow-up（跟進提問）。在台灣我們曾經歷過威權體制，雖然這個年代沒有了，但我們的父母有，我們從他們身上感受到的恐懼是非常強烈的。當你們分享時，我就知道這種恐懼是什麼、會對人造成什麼影響。但是到國際社會，尤其是歐美國家，我覺得不管怎麼解釋他們就是聽不懂，或者是說當你沒有受到一些很具體的傷害時，就會覺得這好像沒有這麼嚴重。不知道你是否曾經有這樣的經驗，或者你是否曾經試圖讓外國人理解這些問題，特別是對於美國人？

第二個部分，是關於你邀請很多人分享他們的流亡生活，我很好奇，因為你剛才提到自己在北京是一個——

張潔平：社交名媛。

（全場笑）

袁　莉：潔平！我的名聲就是這麼被你毀掉的！

聽　眾：那你現在人不住在北京了，在紐約。你在那邊的生活是怎樣的？您還能過著您喜歡的「名媛」生活嗎？

袁　莉：謝謝你的問題，關於恐懼。我覺得因為我神經很大條，經常是我的同事跑來跟我說：「欸你可以嗎，會不會有問題啊？」我的編輯、多年好友 Carlos，他不幸前兩年去世了，他是我特別特別好的朋友。我去中國的時候他經常擔心我，尤其到 2019 年因為香港反送中，氣氛愈來愈緊張，我每一次去北京、上海這些地方，他就要求我每天要給他打個電話，但是我這人就神經大條到經常忘掉。我覺得我的同事對我安全的擔心，可能比我自己還要擔心的多。

我在紐約的生活，極其豐富多彩。前兩三個星期，我都覺得沒有時間能坐下來做個採訪、寫個東西，就沒有辦法，就是各種的約、沒完沒了的約，真的是這樣。我無論到哪，就是我喜歡把人都召集到一起，大家可以聊有意思的話題。我到哪裡就是一個家。

我的朋友說他最佩服我的一點，是無論到哪裡，我都可以把自己的生活過得有聲有色。哪怕在韓國，我們都不認識什麼人，我也經常會找一幫人去我家吃火鍋。而且紐約是一個這麼豐富多彩的地方，近來確實是愈來愈多有意思的人搬來紐約。

張潔平：其實她剛剛在講的時候，我就想到余英時先生的一句話：「我在哪裡，中國就在哪裡。」我覺得袁莉就是：「我在哪裡，社交舞台就在哪裡。」

（全場笑）

袁　莉：其實我也覺得是「中國就在哪裡」，真的是這樣子。

聽　眾：我開始聽「不明白」之後就推薦給身邊的朋友，有這麼多很有趣（的東西），而且都是台灣人在這個環境裡不會想像到的創意跟勇氣。但同時我也會好奇，對於像袁莉這樣的自由派中國人來說，過去幾年這個群體對台灣的想法有沒有一些變化，這個變化是怎麼發展的？

袁　莉：作為一個大陸人，以前更多是把大陸的想像投射到台灣身上，例如我就是讀白先勇的小說長大的。但是現在我

愈來愈覺得台灣就是台灣了，我特別好奇台灣的年輕人是怎麼想的。

我不敢說大陸的自由派都是這樣想的。自由派這些年分裂也挺多，比如那麼多人變成了川粉（川普的支持者）；還有在香港的問題上，也有大陸的自由派覺得香港人不應該怎樣，意見上也有很多分裂。但是我覺得這些年，因為大陸的情況變得愈來愈糟，其實有愈來愈多的人，至少我身邊的朋友就會覺得：為什麼要統一呢？我們自己都過得這麼苦，為什麼要讓人家來和我們一起過？我覺得是會有更多的理解的，真的是這樣了。

聽　眾：我是這兩年聽您的播客才認識您，對您的過去比較陌生，可不可以請您介紹一下您在媒體的工作經歷？第二個是我自己感覺，雖然現在輿論氛圍是這樣，可是中國媒體好像有少數還是比較有「乾貨」，比方說《澎湃新聞》找的人或學者，內容就比較不是把官方——尤其是新華社評論員或人民日報評論員——那種新聞稿全部再念一遍。也就是說在官媒裡好像經過淘沙以後，還是有一點點（空間）。更不用說《財新》，因為他是民間（媒體），過去也說是有王岐山的背景，所以內容會比較紮實。所以可能再請您介紹一下當前中國媒體的生態，謝謝。

袁　莉：我第一次想做記者，應該是八、九歲或十歲的時候，看到義大利記者法拉奇（Oriana Fallaci）。她在中國非常有名，因為採訪了鄧小平，這樣的形式是新華社他們都沒有的。我當時就覺得太有意思了，一個女的可以去問鄧小平這個問題，我就特別想做這種事。

我特別想做駐外記者，就想辦法進了新華社，而且進了國際部，去駐泰國兩年，後來去阿富汗。在泰國的時候，認識了一些西方記者，發現我們雖然去報導同一件事，但是報導出來的東西是不一樣的。我就慢慢意識到我做的不是新聞，而是宣傳。我還是想要做「真正的記者」。後來有人鼓勵我申請去美國讀書，就特別幸運申請到了哥大（Columbia University in the City of New York）新聞學院，而且是全獎還帶生活費的。

我在第一學期末的時候，突然收到一封郵件，是 *The New Yorker* 的一位資深編輯寄來的。他說「你有什麼計劃」，我說「我沒有什麼計劃，而且肯定找不到工作」，他說「那你就再去讀個書嘛」。那時是聖誕節，很多學校的申請都已經過了，我就趕緊又去考了托福、申請學校，然後就很幸運地又申請到了 George Washington（喬治華盛頓大學）的一年 Master Program（碩士學程），又拿了全獎還有生活費。

我畢業的時候，正好申請到了 *The Wall Street Journal*，在紐約。但是我進去的時候是非常初級的工作，做新聞助理，工資真的很低，做很無聊、事務性的事情。他們也給我機會寫東西，但是可以寫的很有限。後來我就跟他們說，我想做記者，他們就特別好，給我找了編輯來做我的 mentor（導師）。我在 *The Wall Street Journal* 做了四年的 telecom reporter（電訊記者），可能是最早在美國主流媒體上寫 mobile internet（移動網路）的人。

2007 年我報導 iPhone 誕生，2008 年他們就動員我回北京去做《華爾街日報》中文網的主編。當時有很多朋友就說：「你在英文做得這麼好，為什麼要到中文做呀？這是沒有希望的。」我前面其實是沒有想（回去做中文媒體），但 2008 年發生了一系列事情，讓我覺得應該回去。一個就是汶川大地震，再一個就是中國要辦奧運會。我不知道你們記不記得，奧運會在全球聖火傳遞過程中，發生了很多戲劇性的事情。我就覺得我自己的國家發生了這麼多有意思的事情，我為什麼要在美國報導 telecom ？而且雖然是做中文的，但我覺得可以去幫他們 shape（架構）這個中文網站。當時那個中文網站主要是做翻譯，但我可以去找很多人（約稿），這也是為什麼我會認識很多人。到了 2014 年，就發現中文網站在中國還是挺有影響力的，但也是在同一年就被封了。

當時我也做了六七年了，而且我其實不喜歡管理，就還是回去做英文網站。於是我就到香港做 China tech columnist（中國科技專欄作家）——這是他們給我專門創造出來的工作，讓我去寫中國的互聯網。正好那時候中國互聯網起飛，2014年阿里巴巴上市、2015年像滴滴這種中國互聯網企業都出來了。這一波就認識很多中國企業界、互聯網界的人。

2018年，《紐約時報》讓我過來寫 tech，但我這兩年就基本上沒有寫 tech。他們對我非常包容，一開始就任何你感興趣的題目都可以寫。我剛開始以為只是說一說，但是從2020年疫情開始，tech 沒有什麼可以寫的了，中國搞了三年防疫。去年我得了一個（《紐時》內部的）publisher award（出版獎），獎項是 beat reporting（專線報導）；beat 其實就是「清零」，我寫了一年的「清零」。

我前面說得絕對了一些，就是中國媒體基本上被消滅了。但還有像《財新》這樣的地方，他們肯定受了比以前更多的限制，但還是有一幫人在找各種各樣的空間；《澎湃》當然是官媒，但是他們也還是有一些人（在找空間）。這就是讓我特別感動的地方，中國總是有一些人在找一點點的空間去做事情，能有一點空間就做一點事情，我覺得是挺了不起的。但是更大的一個 picture（圖景），就是很難，很難。

聽　眾：我完整地經歷了最黑暗的時刻，武漢封城和上海封城我都在現場。就在最中心的地方。我沒辦法跟別人講這件事情。因為那是完全兩個體感。當你在那個環境中，有一個非常真實的痛苦包裹著你的時候，其實只有在那個痛苦裡面的人互相可以交流，因為有很多東西你是無法用言語表達的。簡單來講，我當時真的沒飯吃，我在家裡看到土豆發芽了，我真的就哭了，因為它壞掉了。我一直在問我的朋友，我不吃它嗎？但是我當時已經真的沒有東西吃了。然後我就把那一堆芽給削掉了，放在冰箱裡面，還是把它做了。

這種事情太多了，我無法跟別人說。現在在中國，公共生活的空間太小了；所以我會覺得「不明白」對我跟我的朋友來講，很切實地成了可以討論的、公共生活的一部分。我知道我今天能夠坐在這裡，已經比我的朋友們要幸運太多了。你後面要做失業議題，從去年到現在，其實非常多人真的是被這件事情困住了，包括我自己的朋友。我知道他們在這種真實的生活困境中，我沒辦法要求他們關心那麼多政治性的、或者「外面的事情」。我沒辦法，那太殘忍了。但「不明白播客」有一點很好的是，因為大家會想辦法去傳播，就給了一個我可以跟他們溝通的平台，這點是我非常珍惜的。現在跟國內的朋友溝通太困難了，我真的很謝謝袁莉。

然後我想回應一下「恐懼」的事情。我覺得中國人生下來就是在恐懼之中，要不恐懼就是要一點一點練習，每次往外走一點，發現是安全的、就再往外走一點。其實我想問一個可能很沉重，但還是想問的問題：包括你接觸到的在牆外的年輕人，跟在裡面準備要出來的年輕人，其實我自己會覺得不管是留在原地還是出來，都會有非常非常多的問題。你覺得留下的人能夠幹什麼、出來的人可以幹什麼？

袁　莉：真的非常感動，真的。

我最近做失業這題，先做了專欄，然後跟幾個人錄音，我就問他們未來怎麼打算？他們真的是很絕望，說「潤」吧。這些人很多都在中國上了十幾年學，真的都是非常「卷」的人，都是上了中國最好的大學、在全世界最好的大學留學的人，他們再想要出來，那個機會成本——你知道在中國 25、26 歲就恨不得老了，因為 35 歲就會被 fire（辭退）掉，我聽了都覺得焦慮。

出來有出來的難，對吧？如果有人問我，我會覺得你要看對自己來說，最重要的是什麼。如果你想和家庭離得進一點，那在國內也可以，大多數人還是可以活下去的。我絕大多數的朋友，那些中國的精英和知識份子，很自由派的人，他們

也是選擇在國內生活。但是你可以在那個地方選擇誠實地生活，可以不去說那些話，可以保持沉默，只過自己精神豐富的生活。

至於到國外的年輕人，我覺得現在機會也挺多的，可能會挺苦的。前面也提到我剛進 *The Wall Street Journal* 也是做 entry-level job（初階工作），工資很低，我當時就這麼一點錢，怎麼過呀？大家都是這麼過來的。

反正我就是特別的大條，然後特別樂觀、特傻的這種，但是好像一路很幸運地過來了。我覺得就是要有樂觀，要相信自己。相信自己的判斷，相信自己的堅持，誠實地活著。能夠面對自己是一個很重要的事情，以前所謂的自由派知識份子，有些人我看了就想問：你還能面對你自己嗎？

關於實際生活的，其實也是挺難回答，但是我覺得精神世界也是特別重要的一個事情，尤其在這樣的一個時代。

飛地出版 ·【明白】書系
《不明白——為什麼中國走到了這裡》

作　　　者　——　不明白播客
特約編輯　——　ZY
版畫創作　——　KZ
封面設計　——　YJ
排版設計　——　YJ
內文校對　——　CJ

出 版 者　——　飛地出版

　　　　　　　　　地址：台北市萬華區中華路一段 170-2 號

　　　　　　　　　電話：(02) 2371-0300

　　　　　　　　　電郵：books@nowhereximen.com

印　　　刷　——　搖籃本文化事業有限公司
紙本發行　——　大和書報圖書股份有限公司

初版日期　——　2024 年 7 月 1 日　初版一刷
定　　　價　——　新台幣 680 元

國家圖書館出版品預行編目 (CIP) 資料

不明白：為什麼中國走到了這裡 / 不明白播客.
-- 初版 . -- 臺北市：飛地出版，2024.07
416 面；14.8×21 公分 . --（明白書系）
ISBN 978-626-98362-2-2（平裝）

1.CST: 中國大陸研究 2.CST: 言論集

574.107　　　　　　　　　　113008180